PICCOLA BIBLIOTECA ADELPHI

500

ROBERTO CALASSO

Cento lettere a uno sconosciuto

ADELPHI EDIZIONI

ISBN 88-459-1798-3

INDICE

a Luciano Foà

RISVOLTO DEI RISVOLTI

Il risvolto è un'umile e ardua forma letteraria che non ha ancora trovato il suo teorico e il suo storico. Per l'editore, spesso offre l'unica occasione per accennare esplicitamente ai motivi che lo hanno spinto a scegliere un certo libro. Per il lettore, è un testo che si legge con sospetto, temendo di incontrarvi un subdolo imbonimento. Eppure il risvolto appartiene al libro, alla sua fisionomia, come il colore e l'immagine della copertina, come i caratteri in cui è stampato. Eppure, una civiltà letteraria si riconosce anche dal modo in cui i libri si presentano.

Lunga e tortuosa è stata la via percorsa dalla storia del libro prima di far nascere il risvolto. Suo nobile antenato è l'*epistola dedicatoria*: altro genere letterario, fiorito a partire dal Cinquecento, dove l'autore (o lo stampatore) si rivolgeva al Principe che aveva protetto l'opera. Genere non meno imbarazzato del risvolto, poiché qui la funzione dell'allettamento commerciale veniva assunta dall'adulazione. Eppure, quante volte, e in quanti libri, fra le righe dell'epistola dedicatoria l'autore (o lo stampatore) ha lasciato trasparire la sua verità – e anche stillare il suo veleno. Rimane da constatare, comunque, che nel momento in cui il libro entra nel mondo sembra obbligato a passare da una forma che suscita diffidenza.

17

In età moderna, non vi è più un Principe a cui rivolgersi, ma un Pubblico. Avrà forse un volto più netto e riconoscibile? Chi crede di poterlo affermare s'inganna. Per alcuni può addirittura essere questo l'inganno su cui si fonda la loro professione. Ma la storia dell'editoria, a guardarla da vicino, è una storia di perenni sorprese, una storia dove regna l'imprevisto. Al capriccio del Principe si è sostituito un altro, diffuso capriccio, non meno potente. E le possibilità di equivoco si sono moltiplicate. Cominciamo dalla parola: chi dice *pubblico* pensa generalmente a un'entità ingombrante e informe. Ma la lettura è solitaria, come il pensiero – e presuppone l'oscura e isolata scelta di un singolo. Il capriccio implicito nella scelta del mecenate che sostiene lo scrittore (o lo stampatore) è dopo tutto minore, perché più fondato, del capriccio di un ignoto lettore che si avvicina a un'opera e a un autore di cui nulla sa.

Osserviamo un lettore in libreria: prende in mano un libro, lo sfoglia – e, per qualche istante, è del tutto separato dal mondo. Ascolta qualcuno che parla, e che gli altri non sentono. Accumula casuali frammenti di frasi. Richiude il libro, guarda la copertina. Poi, spesso, si sofferma sul risvolto, da cui si aspetta un aiuto. In quel momento sta aprendo – senza saperlo – una busta: quelle poche righe, esterne al testo del libro, sono di fatto una lettera: la lettera a uno sconosciuto.

Per molti anni, dopo che Adelphi cominciò a pubblicare, ci è capitato di sentirci rivolgere una domanda: «Qual è la politica della casa editrice?». Era una domanda colorata da un certo periodo, quello in cui la parola «politica» stingeva su tutto, anche sul caffè che si beveva in un bar. Nella sua goffaggine, era però una domanda giusta. Sempre più, nel nostro secolo, l'editore è diventato una figura occulta, un invisibile ministro che dispensa immagini e parole seguendo criteri non immediatamente chiari, che suscitano l'universale curiosità. Pubblica forse per fare denaro, come tanti altri produttori? Nel profondo, pochi ci credono, se non altro per la fragilità del mestiere e del mercato. Appare così spontaneo il dubbio, in questo caso, che il denaro basti a rendere ragione di tutto. C'è sempre un *di più* che viene attribuito all'editore. Se esistesse (e non l'ho mai incontrato) un editore che pubblica *soltanto* per fare denaro, nessuno gli darebbe ascolto. E probabilmente fallirebbe presto, confermando gli increduli nella loro convinzione.

Nei primi anni, colpiva nei libri Adelphi innanzitutto una certa *sconnessione*. Nella stessa collana, la «Biblioteca», apparvero in sequenza un romanzo fantastico, un trattato giapponese sull'arte del teatro, un libro popolare di etologia, un testo religioso tibetano, il racconto di un'esperienza in carcere durante la seconda guerra mondiale. Che cosa teneva insieme tutto questo? Paradossalmente, dopo un certo numero di anni, lo sconcerto dinanzi alla sconnessione si è rovesciato nel suo opposto: il riconoscimento di una connessione evidente. In alcune librerie, dove gli scaffali sono divisi per materia, ho incontrato – accanto alle etichette Cucina, Economia, Storia, ecc. – un'altra etichetta, di uguale impostazione grafica, che diceva semplicemente: Adelphi. Questo singolare rovesciamento, che si è imposto nella percezione di qualche libraio e di molti lettori, non era ingiustificato. Si può fare una casa editrice per le ragioni più diverse, e seguendo i criteri più diversi. Quello che oggi sembra più normale, in una grossa casa editrice, si potrebbe formulare così: pubblicare libri che corrispondano ciascuno a uno spicchio di quell'immenso ventaglio che è il pubblico. Ci saranno così libri rozzi per i rozzi e libri squisiti per gli squisiti, in proporzione all'ampiezza che si attribuisce a ciascuno di quegli spicchi.

Ma si può costruire un programma editoriale anche seguendo un criterio palesemente contrario. Che cos'è una casa editrice se non un lungo serpente di pagine? Ciascun segmento di quel serpente è un libro. Ma se si considerasse quella serie di segmenti come un unico libro? Un libro che comprende in sé molti generi, molti stili, molte epoche, ma dove si continua a procedere con naturalezza, aspettando sempre un nuovo capitolo, che ogni volta è di un altro autore. Un libro perverso e polimorfo, dove si mira alla *poikilía*, alla «variegatezza», senza rifuggire i contrasti e le contraddizioni, ma dove anche gli autori nemici sviluppano una sottile complicità, che magari avevano ignorato nella loro vita. In fondo, questo strano processo, per cui una serie di libri può essere letta come un unico libro, è già avvenuto nella mente di qualcuno, per lo

20

meno di quell'entità anomala che sta dietro i singoli libri: l'editore.

Questa visione comporta alcune conseguenze. Se un libro è innanzitutto una forma, anche un libro composto di una sequenza di centinaia (o migliaia) di libri sarà innanzitutto una forma. All'interno di una casa editrice della specie che sto descrivendo, un libro *sbagliato* è come un capitolo sbagliato in un romanzo, una giuntura debole in un saggio, una chiazza di colore urtante in un quadro. Criticare quella casa editrice non sarà, a questo punto, nulla di radicalmente diverso dal criticare un autore. Quella casa editrice è paragonabile a un autore che scriva solo centoni. Ma i primi classici cinesi non erano forse tutti centoni?

Non vorrei però essere frainteso: non intendo pretendere da qualsiasi editore che diventi un classico cinese arcaico. Sarebbe pericoloso per il suo equilibrio mentale, già minacciato da tanti agguati e seduzioni. Non ultima fra queste, e destinata ad avere fortuna, la seduzione che è il perfetto rovescio speculare di quella che potremmo chiamare la *tentazione del classico cinese*. Intendo con ciò la possibilità di diventare come il «povero ricco» di cui scrisse Adolf Loos, che volle abitare in un appartamento ideato in ogni minimo dettaglio dal suo architetto, e alla fine si sentì totalmente estraneo e vergognoso a casa sua. L'architetto lo rimproverò perché aveva osato mettersi un paio di pantofole (anch'esse disegnate dall'architetto) nel soggiorno e non in camera da letto.

No, la mia proposta è che agli editori si chieda sempre il minimo, ma con durezza. E qual è questo minimo irrinunciabile? Che l'editore provi piacere a leggere i libri che pubblica. Ma non è forse vero che tutti i libri che ci hanno dato un qualche piacere formano nella nostra mente una creatura composita, le cui articolazioni sono però legate da un'invincibile affinità? Questa creatura, formata dal caso e dalla ricerca testarda, potrebbe essere il modello di una casa editrice – e per esempio di una che già nel suo nome rivela una propensione per l'affinità: Adelphi, appunto.

Di tutto questo i risvolti qui pubblicati portano traccia. Fin dall'inizio, obbedivano a una sola regola: che noi stessi li prendessimo alla lettera; e a un solo desiderio: che anche i lettori, contrariamente all'uso, facessero lo stesso. In quella angusta gabbia retorica, meno fascinosa ma altrettanto severa di quella che può offrire un sonetto, si trattava di dire poche parole efficaci, come quando si presenta un amico a un amico. E superando quel lieve imbarazzo che c'è in tutte le presentazioni, anche e soprattutto fra amici. Oltre che rispettando le regole della buona educazione, che impongono di non sottolineare i difetti dell'amico presentato. Ma c'era, in tutto questo, anche un pungolo: si sa che l'arte della lode precisa non è meno difficile di quella della critica devastante. E si sa inoltre che il numero di aggettivi adatti per lodare gli scrittori è infinitamente minore di quello degli aggettivi disponibili per lodare Allah. La ripetitività e la limitazione sono parte della nostra natura. Dopo tutto, non riusciremo mai a variare più che tanto i gesti che compiamo per alzarci da un letto.

Venendo a coincidere il quarantesimo anno dell'uscita del primo libro Adelphi e il numero cinquecento della «Piccola Biblioteca», abbiamo pensato di raccogliere in un libro cento tra i 1068 risvolti che ho scritto fra il 1965 e oggi. In un certo periodo – fra il 1967 e il 1992 – tendevo a scriverli tutti, con rarissime eccezioni. In seguito ne ho scritti sempre meno e oggi, salvo qualche occasionale soprassalto, mi dedico piuttosto a rivedere e, se è il caso, rielaborare testi messi insieme da una squadra redazionale: questo spiega l'assottigliarsi dei risvolti tratti da libri degli ultimi anni.
I motivi che hanno guidato la scelta dei cento risvolti potevano essere – e sono stati – molteplici. Nessuno però tale da dominare. Ci siamo presto resi conto che, se avessimo voluto comporre un libro che rispecchiasse con qualche pretesa di precisione la rappresentatività o l'importanza di certi titoli nel programma della casa editrice, immediatamente ci saremmo trovati ad affrontare dilemmi insensati. Sono state invece preziose e decisive le indicazioni di dieci lettori affini – interni ed esterni alla casa editrice –, secondo i loro gusti e inclinazioni. Così alla fine due soli criteri sono rimasti inflessibili: l'arbitrio e l'idiosincrasia. Arbitrio perché di ogni autore si è stabilito di non scegliere più di

un titolo. Idiosincrasia perché la decisione ultima è stata affidata al minor dispiacere dell'autore nel rileggere i singoli pezzi. E a questo punto era fatta la scelta, le cui manchevolezze vanno imputate soltanto all'autore stesso.

Alla luce di tutto questo, non ci sarà ragione di meravigliarsi se alcuni libri essenziali nella casa editrice qui non appariranno. E neppure se salterà all'occhio l'assenza di certi autori (Brodskij o la Campo o la Bachmann o Colli o Baltrušaitis o Berlin potrebbero essere gli esempi più evidenti). È facile sentirsi insoddisfatti quando dobbiamo presentare qualcosa che ci sta particolarmente a cuore.

Tutti i testi sono riprodotti esattamente come sono apparsi, includendo anche un certo numero di virgolette alte che oggi senz'altro abolirei, ma che non posso non guardare con affetto, perché erano immancabilmente dovute ad accorti interventi cautelativi di Luciano Foà. Sono stati invece eliminati, quando vi fossero, i ragguagli funzionali all'edizione di cui, volta a volta, si trattava. A partire da un primo e drastico lavoro di sfoltimento sino agli ultimi tocchi redazionali ha vegliato sapientemente su questo libro Maddalena Buri, a cui va la mia gratitudine.

Infine un'osservazione che è un sottinteso di tutto: questi risvolti hanno avuto per vari decenni, come primo lettore e interlocutore, Luciano Foà. Con lui ho soppesato innumerevoli dubbi. A lui il libro è naturalmente dedicato.

CENTO LETTERE
A UNO SCONOSCIUTO

«EREWHON - RITORNO IN EREWHON»
DI SAMUEL BUTLER

Erede di Swift e precursore della fantascienza, *outsider* arrabbiato nell'Inghilterra di fine secolo, Samuel Butler ha avuto una straordinaria fortuna postuma. Il suo romanzo *Così muore la carne* è oggi considerato il capolavoro della reazione antivittoriana; i suoi *Diari* si sono rivelati una miniera di aforismi taglienti, aneddoti memorabili, perfidie e paradossi.

Ma il suo libro più ricco e sorprendente, oggi, come mai prima, attuale, resta *Erewhon*, che fu pubblicato anonimo nel 1872 e a cui fece seguito, quasi trent'anni dopo, *Ritorno in Erewhon*. «Ho messo in *Erewhon* tutto quello che pensavo», così scriveva Butler in una lettera. E in *Erewhon*, infatti, più che in ogni altro suo libro, Butler dà libero corso alla sua capziosa e irriverente inventiva teologica e morale, al suo incontenibile impulso a combinare, ibridare le idee, a deformare i paradigmi della vita sociale.

Erewhon, cioè «Nowhere», è un mondo immaginario, un «In-nessun-posto» dove troviamo la versione moderna di un'antica figurazione mitologica: il «mondo alla rovescia». In Erewhon i malati vengono messi in prigione e processati; le vittime sono considerate immorali; i delinquenti vanno all'ospedale, ovvero sono curati a domicilio da medici dell'anima chiamati «raddrizzatori»; le macchine sono state distrutte da secoli, da quando un libro rivoluzionario ha dimostrato che esse sono i prototipi di una nuova specie superiore, perfetta e felice, destinata a soppiantare l'uomo secondo la legge dell'evoluzione. Veniamo a conoscere istituzioni affascinanti: le Banche Musicali, le Scuole della Irragionevolezza, il linguaggio ipotetico. Esilaranti mitologie illustrano la vita prenatale.

In *Ritorno in Erewhon* (ora, per la prima volta, pubblicato in lingua italiana) la satira alle idee e alle istituzioni occidentali viene spinta all'estremo e tutti i temi del precedente romanzo ricompaiono rinnovati. In esso assistiamo alla progressiva, raggelante, trasformazione dell'«In-nessun-posto» nell'Ovunque, e la parabola si conclude con sofferta ambiguità.

I due libri ci mostrano le due facce dell'utopia di un grande misantropo. Attraverso una successione di scene, intrighi e divagazioni di irresistibile comicità, Butler ci sottopone sottilmente a una salutare diseducazione: il nostro mondo, visto con occhio estraniato grazie all'artificio del viaggio immaginario, rivela i suoi aspetti più assurdi e maligni. Ma quel che forse colpirà di più il lettore d'oggi sarà la chiaroveggenza di Butler sul futuro di una civiltà tecnologica che è già diventato, per noi, presente.

1965

Il potenziale romanzesco della geometria, come di ogni altra disciplina rigorosa, è enorme. Il reverendo e pedagogo Edwin Abbott Abbott (1838-1926), che per molti tratti è avvicinabile al suo contemporaneo Lewis Carroll, ne ha dato una dimostrazione memorabile nel racconto che qui presentiamo. Mondo bidimensionale abitato da segmenti, triangoli, quadrati, poligoni vari e sublimi circoli, la Flatlandia (o Paese del Piano) ci viene descritta con perizia etnologica e candido *humour* da un suo abitante, un eccellente Quadrato. In quel mondo, le gerarchie sono immediatamente evidenti: si passa dai volgari e spigolosi Triangoli (gli operai), ai più rispettabili Quadrati e Pentagoni (i professionisti) e ai nobili Poligoni, che si approssimano indefinitamente ai Circoli (i sacerdoti), nei quali la bruta natura angolare è del tutto annullata. Le donne sono Segmenti, e implicita nella forma è la loro natura bassa e infida, ma supremamente potente e temibile, che viene illustrata in alcune pagine di esilarante misoginia. Siamo introdotti alla complessa legislazione e agli insoluti problemi della Flatlandia; veniamo a conoscere la storia spesso drammatica del paese. E infine assistiamo agli emozionanti incontri del Quadrato narratore con il mondo unidimensionale della Linelandia (o Paese della Linea) e con la sconvolgente realtà dello spazio tridimensionale, scoperta attraverso il dialogo con una Sfera.
Si rivela a questo punto la sottigliezza speculati-

va del libro. Il lettore tridimensionale è partito da una posizione di onnisciente superiorità: ciò che per gli abitanti della Flatlandia è oscuro e inestricabile, appare a lui con assoluta evidenza, così come il nostro mondo, oscuro e inestricabile, potrebbe apparire a una maligna divinità che lo avesse creato come un giocattolo imperfetto. Ma questo meccanismo di mondi concentrici, incompatibili e incomunicanti, in realtà mette in dubbio i nostri stessi punti di riferimento, e il libro si chiuderà con la inquietante ipotesi di una Quarta Dimensione. In un gioco di specchi, questa ultima supposizione ci fa intendere che il nostro mondo tridimensionale è probabilmente osservato da un mondo ulteriore con la stessa superiorità e indifferenza che noi mostriamo verso gli abitanti della Flatlandia, e la prospettiva si apre così su una molteplicità di mondi diversamente ciechi e ignari, incapsulati l'uno nell'altro.

Non è mancato chi ha voluto vedere nel racconto di Abbott una sorprendente anticipazione della teoria einsteiniana, e infatti il libro è diventato ghiotta lettura di matematici e scienziati. Ma *Flatlandia* è un universo fantastico, minuscolo e perfetto e, come tale, resta innanzitutto un esercizio inesauribile dell'immaginazione. Ce lo dimostra, con il calore e la penetrazione di chi scopre un'insperata consanguineità, il saggio di Giorgio Manganelli qui pubblicato in appendice.

1966

« IL RACCONTO DEL PELLEGRINO »
DI SANT' IGNAZIO DI LOYOLA

Nel racconto della sua vita, sant'Ignazio ignora gli avvenimenti anteriori al 1521, anno della sua conversione. Come in altre grandi autobiografie religiose, ci viene così presentata l'immagine di una esistenza spezzata in un prima e in un dopo incommensurabili e discontinui. Nato nel 1491, Ignazio aveva seguìto il mondo nella prima parte della sua vita. Uomo di corte e cavaliere, le sue massime ambizioni erano rivolte all'esercizio delle armi. Non mancano in questa sua prima giovinezza episodi oscuri, come il processo che egli subì nel 1515 per un delitto grave, la cui natura ci è tuttora ignota. Nel 1521 egli partecipa alla difesa della fortezza di Pamplona, assediata dai Francesi. Ferito a una gamba da un colpo di bombarda e fatto prigioniero, gli viene poi consentito di tornare nelle proprie terre. Durante la lunga convalescenza, che lo costringe all'immobilità e alla solitudine, egli chiede dei romanzi cavallereschi, di cui è appassionato; gli dànno solamente due libri di devozione, una *Vita Christi* e la *Leggenda aurea*. All'origine della sua conversione sarà proprio la lettura di questi due libri, o, più precisamente, la sperimentazione radicale della loro azione sull'anima – primo e personalissimo esempio di quella «discrezione degli spiriti» che diventerà poi fondamento della prodigiosa scienza psicologica degli *Esercizi spirituali*. Appena guarito, Ignazio abbandona la sua casa e rompe con la vita precedente, avviando così quel processo che muterà il cavaliere mondano Iñigo di Loyola nello stratega sovrannaturale Ignazio di Loyola, fondatore della Compagnia di Gesù. Il percorso fra questi due termini si compie attraverso una storia tortuosa e virulenta che, nella narrazione autobiografica, ci rivela progressivamente l'eccezionale complessità della figura di sant'Ignazio. In lui sono congiunte in un nodo strettissimo personalità apparentemente incompatibili: il visionario e il tattico, il politico e l'estatico. Egli è il «contemplativo nell'azione» secondo la perfetta definizione del suo compagno Jerónimo Nadal. Ma sant'Ignazio, nella sua autobiografia, sceglierà per sé un altro nome: il Pellegrino. Vorrà cioè apparire, innanzitutto, come un essere votato a seguire fino in fondo un percorso già tracciato.

Il racconto del Pellegrino, dettato da sant'Ignazio nei suoi ultimi anni (1553-1555) al devoto Gonçalves da Cámara, è appunto il resoconto del suo vertiginoso itinerario: una prosa rapida e scabra, del tutto priva di vezzi letterari, che conserva il respiro della narrazione orale. Non vi si fa differenza tra fatti e introspezione: i casi e gli incidenti, le visioni, le grazie e le disgrazie vi assumono l'identica natura di *segni* coinvolti nello scambio continuo che c'è fra il Pellegrino e Dio: ogni dato è una mossa, in un gioco nell'assoluto fra due parti infinitamente sbilanciate.

Le rivelazioni di Manresa, i viaggi in Palestina e in Italia, gli studi a Parigi, le persecuzioni e la formazione della Compagnia di Gesù – tutte le vicende più note della vita di sant'Ignazio ci appaiono in questa prospettiva come viste da un occhio che è irriducibilmente vòlto verso l'interno. Così il tono e la maniera della narrazione non corrispondono affatto ai canoni agiografici. Non c'è un momento di indugio, di commento, di apologia – ma solo una registrazione di fatti, un catalogo folto di particolari che penetrano profondamente nella memoria.

Dopo essere rimasto inedito per tre secoli e mezzo, *Il racconto del Pellegrino* fu pubblicato nel testo originale all'inizio del Novecento. Da allora è stata sempre più riconosciuta la grande importanza dell'opera, non solamente come documento storico e devozionale, ma come capolavoro della letteratura autobiografica.

1966

«TEATRO COMPLETO»
DI CHRISTOPHER MARLOWE

«Christopher Marlowe, padre della tragedia inglese e creatore del metro poetico elisabettiano chiamato "blank verse", nacque a Canterbury nel 1564. Nel 1587 prese a Cambridge la laurea di dottore in lettere; a quel momento egli aveva già scritto la prima tragedia degna di questo nome nella lingua inglese, e dato vita al più eccelso e difficile di tutti i metri poetici non lirici, l'unico che i suoi connazionali da allora in poi considerarono adeguato alla tragedia in versi. La sua prima opera, in due parti, fu *Tamerlano il Grande*; seguirono il *Dottor Fausto*, *L'Ebreo di Malta,* l'*Edoardo II* e *La Strage di Parigi. La Tragedia di Didone* venne forse completata, dopo la sua morte, da Thomas Nash. "Famoso ornamento dei tragici" lo chiamava già in vita il suo contemporaneo Greene. Fu infatti uno dei più grandi poeti inglesi. Della sua morte, si sa quasi soltanto che egli ricevette una ferita mortale in una lite da taverna, all'età di ventinove anni... Marlowe è il più grande scopritore, il pioniere più ardito e più ispirato di tutta la letteratura poetica inglese».

Così un altro poeta, Charles Algernon Swinburne, presentava Marlowe sul finire del secolo scorso, quando la riscoperta degli Elisabettiani era già avviata ma non compiuta. Da allora, sembra che ci siamo andati riavvicinando sempre più all'opera di Marlowe. E ce n'è ragione: troppe componenti, in quel repertorio dell'incandescenza e dell'eccesso, corrispondono ad altrettanti punti scoperti e affini del nostro presente. Innanzitutto la concezione del teatro: il teatro di Marlowe ignora ed esclude quella riduzione dei fatti a una convenzione psicologica che sarà, in diverse forme, il tratto dominante nel teatro europeo delle età successive, fino all'esaurirsi del naturalismo; all'inverso, in Marlowe la psicologia è totalmente assorbita negli eventi, e l'azione, a sua volta, è tutta quanta nel potere esorbitante della parola. Più che individualità psicologiche, o innocui caratteri, i suoi protagonisti sono manifestazioni di potenze naturali – e da ciò deriva il loro aspetto superumano e iperbolico. L'intrigo delle sue tragedie sembra seguire gli scontri, le separazioni, l'unione e l'annichilazione degli elementi nella natura.

34

In questo grande poeta, dotto e speculativo, agiva una furiosa carica arcaica; il fasto del suo verso si presenta come uno sfrenato sacrificio, una autocombustione delle parole, uno sperpero propiziatorio; la sua enfasi è preistorica e cerimoniale. Solo la ruota del destino segna il tempo del suo teatro e le sue invenzioni tendono ad assimilarsi alla vita biologica, a un semplice apparire, culminare e scomparire. Il paradigma di questo processo sarà la meravigliosa vicenda di Tamerlano, o il rovesciarsi delle fortune nell'*Edoardo II*, così come la prova della sua ineluttabilità è la *Tragica storia del Dottor Fausto*. Questa idea del teatro e della letteratura, intorno a cui gravita l'opera di Marlowe, sarebbe apparsa già desueta e impraticabile ai suoi successori, fino a restare in seguito sepolta nelle cantine del dimenticato. Ma oggi che torniamo lentamente a renderci conto dell'enorme ricchezza di tante vie abbandonate ed escluse, l'opera di Marlowe ci attira come accenno a una letteratura virtuale che ha tutta l'arbitraria complicazione dell'artificio e al tempo stesso la necessità di un processo della natura.

1966

« LE NOVE PORTE »
DI JIŘÍ LANGER

Nell'estate del 1913 un giovane studente di Praga abbandona la famiglia per andare in un paese sperduto della Galizia orientale. Egli cerca laggiù un «altro mondo», il mondo chiuso ed esaltante dei *chassidìm,* di quelle comunità religiose ebraiche sorte più di cento anni prima, proprio nell'età dei lumi, e che tengono ancora viva, nel cuore dell'Europa del XX secolo, l'ultima fiamma della tradizione mistica medievale. Nel grandioso squallore dei loro villaggi sparsi per le sconfinate pianure della Polonia e dell'Ucraina, i *chassidìm* vivevano in uno stato di straordinario, gioioso fervore che li isolava dal resto del mondo. Le loro comunità si raccoglievano intorno agli *zaddikìm,* taumaturghi e maestri spirituali che si tramandavano la dottrina di generazione in generazione, ma che erano anche giudici e consiglieri per ogni questione pubblica e privata.

Prima attirato da questo mondo, poi respinto dalla sua apparente crudezza, infine completamente affascinato, il giovane studente praghese diventa seguace del più grande *zaddìk* del tempo, il Rabbi di Belz, e sotto la sua guida viene introdotto ai segreti di un misticismo profondamente radicato nella tradizione cabbalistica. Dopo una lunga esperienza della vita e della letteratura chassidica, quel giovane, Jiří Langer, pubblicherà nel 1937 *Le nove porte,* raccolta di storie, leggende e ricordi personali, che resta forse l'ultima testimonianza diretta di un mondo che pochi anni dopo sarebbe stato annientato dalla guerra e dal terrore nazista.

Le pagine delle *Nove porte* sono gremite di figure tenere e irruenti, di racconti fantasiosi, paradossali, narrati con tono popolaresco. Ma, dietro la candida arte di questo «novellino» ebraico traspaiono le speculazioni abbaglianti degli *zaddikìm*. Personaggi favolosi e bizzarri che celebrano la gloria dei loro cenci, questi dotti amano spesso presentarsi come uomini rozzi, sconcertano i giovani discepoli con aforismi, apologhi, gesti sorprendenti. La loro vita è assorbita nel contatto continuo con le gerarchie divine: il cielo chassidico – o meglio i cieli, di cui le «nove porte» sono altrettante vie d'accesso – non è, infatti, un al di là indefinitamente allontanato, ma, al contrario, un luogo familiare, attraverso cui ogni azione e ogni parola si apre la strada verso il divino. La preghiera passa di cielo in cielo prima di tornare agli uomini trasformata dall'ininterrotta circolazione che esiste tra l'alto e il basso, e in virtù della preghiera si chiude il circuito tra l'intuizione estatica e il fatto più minuto. Tutto è in rapporto con tutto. Non vi è aspetto del reale che sia trascurabile per i *chassidìm*: secondo la tradizione, ogni luogo è coperto da un lembo della Torà, in ogni angolo si cela una scintilla divina.

A differenza di Buber, massimo divulgatore del chassidismo, Langer non vuole imporre una propria interpretazione. Gli preme di essere un fedele tramite fra le ricchezze di quel mondo, di quelle ultime comunità mistiche che l'Europa ha conosciuto, e noi. E di fatto *Le nove porte* è, nelle parole di Gershom Scholem, «una delle più preziose raffigurazioni dall'interno della vita e del pensiero chassidico».

Fratello del noto drammaturgo František, Jiří Langer fu amico di Kafka, che riportò nel suo diario alcune delle leggende chassidiche che Jiří gli aveva raccontato. Morì nel 1943 in Palestina, dove riuscì a rifugiarsi dopo l'occupazione della Cecoslovacchia da parte dei Tedeschi.

1967

« LA NUBE PURPUREA »
DI MATTHEW P. SHIEL

Immaginate un *Robinson Crusoe* che abbia per scena, invece di un'isola sperduta, il mondo intero; in cui il protagonista, invece di sperimentare tutte le risorse del raziocinio, passi per tutti i deliri di una solitudine allucinante, affollata di cadaveri e di relitti; immaginate che le vicende del romanzo si svolgano dopo la fine del mondo, provocata da una catastrofe di demoniaca sottigliezza, che estingue l'umanità conservandola immobile come uno sterminato museo di cere, imbalsamata in un delicato profumo di pèsca; e che la narrazione di questa fine del mondo e dell'inizio di una nuova vita sia spinta da un soffio epico, guidata da una continua lucidità visionaria; che il linguaggio assuma successivamente cadenze, insieme ingenue e preziose, di stile *Art Nouveau*, il tono asciutto del romanzo di avventure, l'impeto di una predicazione apocalittica; immaginate, poi, un proliferare di strabilianti invenzioni, agevolmente amalgamate alla grandiosa visione centrale, e avrete un romanzo che, scritto sul limitare del nostro secolo, ne prefigura con perfetta esattezza il cronico incubo di essere il secolo ultimo, per scioglierlo in una storia emblematica che congiunge rovina e rinascita, distruzione e principio. Pubblicato nel 1901, riscoperto una prima volta, in America, nel 1928 – quando si arrivò a pubblicare quattro romanzi di Shiel nello stesso giorno – e poi nel 1948, *La nube purpurea* è senza dubbio il capolavoro di M.P. Shiel, la cui opera è stata esaltata da scrittori quali Arnold Bennett, Hugh Walpole, H.G. Wells, Dashiell Hammett.

La vita di Matthew P. Shiel (1865-1947) sembra seguire la trama di un suo romanzo. Figlio di un predicatore di origine irlandese, nacque nelle Indie Occidentali, in «una regione di uragani, terremoti, ruscelli bollenti, solfatare e inondazioni». A quindici anni il padre lo fece incoronare, per mano del vescovo metodista di Antigua, re di Santa Maria la Redonda, un'isoletta pressoché inabitabile del Mar dei Caraibi, popolata da topi, uccelli marini, iguane e capre dalla barba lunga fino a terra. Soprattutto a causa dell'opposizione del Governo di Sua Maestà Britannica, l'esercizio dei suoi poteri regali si limitò alla concessione di titoli nobiliari a diversi scrittori, tra cui Carl Van Vechten, Henry Miller, Dylan Thomas, Lawrence Durrell. Scrisse numerosi romanzi, sostenne azzardate teorie, sondò con maniacale insistenza le possibilità estreme dell'immaginazione e del linguaggio. Egli aveva anche il dono di una singolare veggenza: in un racconto del 1895, per esempio, scriveva di una feroce setta poliziesca, dedita allo sterminio dei deboli, la setta degli S.S. Di questa veggenza dà prova anche nella *Nube purpu-*

rea, prima e inconfondibile fra le diverse immagini di una fine del mondo che, nella realtà o nella fantasia, si sono accumulate in questi ultimi decenni.

1967

« ARTE E ANARCHIA »
DI EDGAR WIND

Nella *Repubblica* di Platone l'arte e gli artisti sono considerati un pericolo, una minaccia per l'ordine, e vengono sottoposti a censura. Al contrario, nei tempi in cui viviamo, la diffusione dell'arte cresce ogni giorno, la censura non può che sembrarci segno di arretratezza o di barbarie; dei pericoli dell'arte non si usa parlare, e certo di fronte a essa non si prova più quel « sacro timore » di cui scriveva Platone. Il rapporto fra queste due opposte concezioni è molto ambiguo: Edgar Wind – illustre studioso d'arte e anche sottile decifratore della storia del pensiero occidentale – lo ha scelto come tema di una serie di conferenze, arricchite da un prezioso apparato di note, che qui presentiamo. Fin dall'inizio del libro l'autore ci fa intendere con ironia e discrezione che forse Platone sapeva meglio di noi che cos'è l'arte, e giustamente la temeva, perché i poteri dell'immaginazione sono quanto di più vicino, nell'uomo, a un fuoco trasformatore o distruttivo. L'estrema leggerezza e tranquillità con cui oggi si guarda alle opere d'arte sarebbe piuttosto una conferma di quella «morte dell'arte» annunciata da Hegel. Per un destino beffardo, che Wind ci fa ripercorrere nelle sue tappe più importanti, l'arte occidentale è diventata autonoma e sovrana proprio nel momento in cui le è stato sottratto il suo vero potere. L'arte autonoma, coperta di inutili onori, si è venuta così a trovare in una zona ornamentale, marginale, della realtà, non essendole ormai riconosciuto di occuparne il temibile e fiammeggiante centro.

Questa situazione paradossale, doppia, dove ogni soluzione si rivela essere una trappola, viene indagata da Wind con precisione filologica e lucidità di argomentazione, facendo perno su alcuni passaggi decisivi nella riflessione sull'arte, dai Greci ai Romantici e alle teorie dell'avanguardia. Ma anche molti problemi della pratica artistica vengono toccati: la tecnica del restauro, il declino dell'arte didascalica, i vari metodi di attribuzione, il rapporto tra arte e scienza, tutti questi temi appaiono di volta in volta abilmente inseriti nel tessuto speculativo del libro, che mantiene peraltro con eleganza il tono della conversazione, senza mai soccombere di fronte alla gravità dei problemi.

Alla fine di questa laboriosa ricerca controcorrente, il rapporto fra arte e anarchia ci apparirà in termini nuovi e piuttosto amari: l'arte, cacciata un tempo dalla *Repubblica* di Platone perché sovvertitrice dell'ordine, viene oggi allevata alla anarchia, ma, forse, accetterebbe di nuovo tutte le costrizioni pur di ritrovare la forza folle che è alla sua origine.

1968

Nel ricchissimo repertorio di vicende truculen-
te, viziose e fastose della decadenza romana, che
da tanti anni continua a provocare l'immaginazione e il pensiero in tante forme, che vanno
dalla *delectatio* erotica alla severa riflessione sul
tramontare delle fortune umane, la vita di Eliogabalo è un caso limite: imperatore-dio a quat-
tordici anni, ucciso e gettato nelle fogne a diciotto, sacerdote e depravato, amministratore
consapevole della disgregazione e dell'anarchia
in seno all'ordine politico più grandioso che il
mondo classico abbia creato, tutto ciò che sappiamo della sua vita si presenta già di per sé sotto il segno della esasperazione di tutti i contrasti, una biografia fatta solo di eccessi.

Questi elementi e altri ancora – la teatralità, la
brutale commistione religiosa orientale-roma-
na – divennero per Artaud un formidabile rea-
gente in un momento insidioso della sua vita,
gli anni 1933-34, già pieni di quella radicale in-
sofferenza per il mondo dell'epoca che poi si
sarebbe sempre più dichiarata in lui, e lo spin-
sero a tentare un paradossale 'romanzo storico'
centrato sulla figura di Eliogabalo. Ma raccontare la storia non può voler dire, per Artaud, muo-
vere dei personaggi fittizi, sulla base di qualche
documento. Nonostante la precisa e prestigiosa
individuazione delle figure – per esempio nei
memorabili ritratti delle varie donne che trama-
no intorno al giovanissimo imperatore – *Eliogabalo* non è una storia di personaggi: ciò che Ar-

taud vuole innanzitutto mostrare è un *canovaccio metafisico,* un episodio della 'guerra delle effigi', il balenare dello scontro dei princìpi nell'eros e nel sangue di una vicenda fissata nel tempo.

E quella stessa guerra infuriava nella vita privata di Artaud, era la *sua* guerra, quella di cui ci parlano tutti i suoi scritti. La fomentazione dell'anarchia, durante il regno di Eliogabalo, diventa così, per Artaud, un processo di riavvicinamento alle forze 'principiali', altrimenti occultate dietro lo schermo dell'ordine. Proprio in questo senso i trentacinque anni trascorsi dalla pubblicazione di *Eliogabalo* dovrebbero averci resi sempre più sensibili a questo romanzo 'storico' che si rivolta contro la storia.

1969

« IL PENSIERO CINESE »
DI MARCEL GRANET

Opera capitale e innovatrice, sia per la sostanza sia per il metodo, *Il pensiero cinese* è il libro della piena maturità di Marcel Granet, dove vengono a confluire e ad amplificarsi i risultati delle sue geniali ricerche. Il lettore non vi troverà soltanto una storia del pensiero cinese, ordinata per date e autori: ben più ambizioso è il compito che Granet si è scelto. Con questo libro – si può ben dire per la prima volta – un sinologo ha provato, con straordinaria felicità, a ricostruire una per una le categorie in cui il pensiero cinese si è manifestato, superando così,

audacemente, il limite più grave che incontriamo anche nelle più attendibili storie della filosofia cinese, per esempio in quella di Forke: e
cioè di essere pur sempre una sorta di *ritradu-
zioni* del pensiero cinese nel linguaggio filosofico che ci è familiare dalla nostra tradizione.
Non solo: applicando con conseguente radicalismo la teoria sociologica della scuola di Durk-
heim, e soprattutto le formulazioni di Marcel
Mauss, Granet non ha ritenuto possibile di dar
conto del pensiero cinese senza seguirlo in atto nei più minuti e oscuri aspetti della vita sociale e dell'etichetta, nei presupposti cosmolo-
gici e mitologici, e infine nei tanti travestimenti in cui la infida storia cinese ha fatto ricompa-
rire per secoli sempre la stessa serie di princìpi
fondamentali. Una rete speculativa immensa si
tesse in questo libro, dove le vite dei grandi pensatori, spesso così elusive e sottratte a ogni certezza, si intrecciano con i particolari di un rito,
con una antica metafora, con la figurazione di
una danza arcaica; dove la musica occupa altrettanto spazio della morale, e anzi spesso vediamo l'una illustrare l'altra; dove alla teoria dei
numeri è dedicata una memorabile analisi che
forma da sola quasi un libro a parte, analisi
che rivela per la prima volta la fisionomia della sottilissima numerologia cinese, scienza qua-
litativa più che quantitativa, antitetica alla nostra matematica; dove, infine, Lao tseu e Confucio, i due più famosi pensatori della Cina, vengono presentati non tanto come capiscuola di
opposte dottrine filosofiche, quanto come due
costanti nella fenomenologia del pensiero cinese, sicché la loro opera ci appare, più che co-

44

me la geniale costruzione di un singolo, come una sorta di ricettacolo dove il fondo stesso del pensiero cinese arcaico si è raccolto e si è dato due forme complementari. Questo libro è valso anche a dimostrare come, più che in ogni altra delle grandi civiltà, in quella cinese i diversi piani, filosofico, religioso e sociale, fossero, in origine, pressoché indistinguibili: Granet è riuscito a darci della Cina arcaica una *immagine totale*.

Uscita nel 1934, e accolta dal silenzio delle riviste specializzate, quest'opera fu così giudicata qualche anno dopo da un altro grande sinologo, J.J.L. Duyvendak: «Si possono senz'altro rimproverare a questo libro certe stravaganze, ma esso appartiene in ogni caso a quanto di più splendido sia stato scritto sul pensiero cinese». In anni più recenti, Joseph Needham, la massima autorità fra i sinologi viventi, ha definito il libro di Granet «a suo modo, un'opera di genio». Oggi *Il pensiero cinese* è universalmente ritenuto come un'opera classica: ma si tratta di un classico ancora in buona parte da scoprire, carico di suggerimenti, suggestioni e ipotesi sorprendenti.

1971

«MEMORIE DALLA TORRE BLU»
DI LEONORA CHRISTINA ULFELDT

Imprigionata per ventidue anni, dal 1663 al 1685, nella Torre Blu del Castello Reale di Copenaghen – sotto l'accusa di aver congiurato contro il re insieme a suo marito, il nobile Corfitz – Leonora Christina, figlia morganatica del re Cristiano IV di Danimarca, annotò clandestinamente le sue vicende, durante la prigionia, per istruirne i suoi figli. Ne è risultata una delle opere più enigmatiche e scabre di tutta la memorialistica – modernissima per l'asciuttezza del tono, per la prontezza nel cogliere il particolare, per l'invincibile ambiguità psicologica che la percorre. Scoperte e pubblicate soltanto nel 1869, ammirate da Rilke, Jacobsen e Andersen e oggi considerate un grande classico della letteratura danese, le *Memorie* di Leonora Christina vengono qui presentate per la prima volta in Italia.

Non già ricordando nella tranquillità vicende passate, dietro lo schermo del tempo, ma ancora costretta in mezzo agli spettri viventi di quel passato, al centro di un groviglio di odii che la obbligava a subire le macabre vessazioni della Torre Blu – dove questa donna regale conversava con carcerieri e infimi delinquenti, dove continuamente aguzzava le armi per difendersi da una turbinosa società di visitatori, inquisitori, ancelle e spie, dove il suo letto posava su un pavimento di escrementi incrostati –, così ci parla Leonora Christina, da un cupo palcoscenico che veniva a sostituire per lei, durante lunghi anni, quello delle corti e dei castelli d'Europa. «Giobbe donna» l'hanno definita molti critici, per il cumulo di sventure che essa sostiene, come anche per i continui richiami devozionali e il senso che essa ha di dover reggere a una «prova». Ma Leonora Christina può anche esser vista soprattutto come uno spirito lucido, eminentemente pragmatico, personaggio nel quale forse più che la fede può l'orgoglio, testardo e deciso a nulla rivelare del proprio segreto. Ciò che più impressiona il lettore di oggi e rende così straordinarie le memorie di Leonora è il suo sguardo impassibile, che registra gli eventi della sordida prigionia con diligenza da archivista, come nei grandi narratori, – e poi l'attenzione, che ha una qualità quasi ferina, la volontà che non può neppure immaginarsi di cedere e continua inesorabile a osservare i mutamenti del circostante, anche ove da questi non sia più possibile aspettarsi salvezza.

Un folto e crudo mondo popola queste memorie e la cella della Torre Blu viene ad assorbire tensioni, vendette, intrighi come un'intera città. E quanto più Leonora è precisa nel descrivere, tanto più nasconde se stessa. Alla fine il suo mistero resta inviolato: le sue dichiarazioni di innocenza non bastano a convincerci dell'infondatezza dell'accusa e sempre più ci accorgiamo che le sue memorie si reggono tutte sulla occultazione dell'io, che ne diviene perciò tanto più forte e sfuggente. Ma intanto, su questo terreno di reticenze e segreti murati, tante storie, tanti particolari hanno assunto davanti ai nostri occhi quell'esistenza incancellabile che fa della Torre Blu uno dei luoghi memorabili della letteratura.

1971

L'Anonimo russo che racconta le sue vicende in questo libro è uno *strannik* – un contadino che, fisicamente inadatto alla vita dei campi e spinto da un forte impulso religioso, abbandona il suo paese e si dà a una perpetua vita errante. Centro di essa sarà la sua scoperta della preghiera esicastica. Solitario per le strade della Russia, accompagnato soltanto da un libro che determinerà tutta la sua esistenza, con un tozzo di pane secco e il suo prezioso salvacondotto, l'Anonimo russo ritrova, brancolando, testardo nel suo desiderio, una via mistica che ha una tradizione immensa e antica, vero segreto della Chiesa d'Oriente. Si tratta appunto della preghiera esicastica, cioè di una certa pratica della 'preghiera interiore ininterrotta' illustrata nel libro che il pellegrino porta con sé, la *Filocalia,* vasta raccolta di testi mistici che va dai primi Padri del Deserto ad alcuni grandi teologi bizantini. Tale preghiera, fondata su una sottile teoria della respirazione e della 'custodia del cuore', è l'unica pratica occidentale che si possa confrontare con lo *yoga* indù – un Oriente occultato, che il mondo slavo ha per secoli nutrito in sé. Senza ausili di cultura e senza il controllo costante di un maestro, l'Anonimo sperimenta su se stesso, passando per tutti gli stadi, dalla desolazione al rapimento, il potere sconvolgente della semplicissima 'preghiera di Gesù'. Tutta la sua vita ne è progressivamente trasformata e la testimonianza che egli ne ha lasciato nella *Via di un pellegrino* ci appare come uno dei più ricchi 'viaggi mistici' che conosciamo. Alla straordinaria immediatezza e precisione nel descrivere le proprie esperienze nel regno della preghiera esicastica, l'Anonimo unisce poi una naturale freschezza di narratore: come un inconsapevole Gogol', egli ci rivela i tratti della perduta vita popolare e provinciale russa attorno alla metà dell'Ottocento, di cui egli stesso è uno dei personaggi, un innocente che sa aprire a una a una le porte di un sapere prodigiosamente intatto.

1972

«IL LIBRO DI GIOBBE»

Tutti sanno che Giobbe, 'uomo di perfetta purità', fu colpito da sventure e, infine, ulcerato nel corpo dal Male, circondato da tre amici, si rivolse al Signore per chiedere ragione delle sue sofferenze. «Iob dice che i buoni non vivono e che Dio li fa ingiustamente morire. Gli amici di Iob dicono che i cattivi non vivono e che Dio li fa giustamente morire». Lo scandaloso processo che Giobbe, il *giusto*, osa intentare al Signore è una immensa pietra d'inciampo che è fatale incontrare e che ogni lettura obbliga ad aggirare, con fatica e meraviglia. Guido Ceronetti, con la sua versione e il suo commento, ha cercato, nell'oscurità e nell'enigma, di offrire in tutta la loro forza oscurità e enigmi, perché questo testo, che nessuna ragione potrà mai accettare, appaia *nuovamente* inaccettabile, arricchito dalla scomparsa di quelle tante mitigazioni esegetiche nelle quali secoli di devozione e di empietà lo hanno avvolto. Testo principe sul Male, *Il Libro di Giobbe* ci rassicura che il male non è quella burocratica 'privazione del bene' a cui teologi grandissimi lo hanno voluto ridurre, ma inarrestabile ruota del mondo; che vera offesa recano innanzitutto gli zelanti, in quanto hanno la risibile pretensione di bonificare l'esistenza, e con ciò portano morte; che «la salvezza del bene è edificante, quella del male essenziale».

Ma innumerevoli sono le maschere del testo sacro, e l'inflessibile manifestarsi della necessità del Male si congiunge – è uno dei segreti del *Libro di Giobbe* – con l'affermazione assoluta del *possesso* di Dio presente. Così l'accusato Dio, a cui Giobbe può rivolgersi col suo *tu* brutale (di una brutalità quale forse nessun'altra religione che l'ebraica ha tollerato) grazie soltanto alla grandiosa finzione di essere l'Odiatissimo-Amatissimo, speciale oggetto, per assurdo, della potenza divina e perciò specchio della sua divina doppiezza – l'accusato Dio, quando alla fine del Libro, dopo i discorsi di Giobbe e dei suoi amici spaventati dall'audacia del sofferente, prenderà la parola, non risponderà con spiegazioni pacificanti, ma congiungerà di nuovo violenza a violenza, come amore a amore, evocando l'immagine dei suoi mostri, Behemòt e Leviatàn, che toglie a Giobbe la parola e gli fa sentire la presenza della perpetua testimone di questo perpetuo processo, *Chokmàh*, la Sapienza.

1972

Come vestirsi? Come arredare la propria casa?
Che cosa mangiare? Come comportarsi in società? A queste domande elementari e angosciose
diede risposte oggi più che mai *giuste* e sorprendenti uno dei grandi architetti del nostro tempo, il viennese Adolf Loos (1870-1933), di cui
presentiamo in questo volume, per la prima volta in Italia, gli scritti più importanti. Già nei
primi saggi, scritti a commento della Esposizione di Vienna per il Giubileo del 1898, vediamo che sarti da uomo e da donna, ebanisti, car-
rozzieri, valigiai, decoratori, mobilieri, arredatori e sostenitori dell'arte applicata vengono
sottoposti da Loos a una critica sferzante, e di-
ventano pretesto per un attacco a tutto un modo di vita che egli considerava già marcio. Ma
la sua chiaroveggenza andava più in là: le devastazioni, oggi palesi, prodotte da tanti tristi con-
nubi fra arte e industria, la snobistica volgarità
degli arredatori, il culto avvilente del pittore-
sco, la bassezza di ogni tentativo di 'arte nazio-
nale', il rapporto turistico col passato, dominante nella psiche dei 'nuovi ricchi' della cultura –
tutto questo Loos ha saputo vedere già allora,
semplicemente osservando gli oggetti che lo
circondavano. Come il suo amico Karl Kraus,
egli aveva il dono di cogliere in ogni minuzia
della vita quotidiana la miseria e gli splendori
di tutta una civiltà. Non solo: con generoso spirito pratico e una commovente fiducia nella capacità di migliorarsi della società – unita a una
perfetta lucidità nel vederne le vergogne – Loos

offriva anche soluzioni, voleva *aiutare a vivere* –
e ci riusciva anche, oltre tutto per le sue splendide doti di scrittore, per l'immediatezza, la sobrietà, la *verve*, per la carica invincibile di simpatia che ha la sua prosa.

A proposito del suo famoso saggio *Ornamento e
delitto*, Le Corbusier scrisse: «Loos è passato con
la scopa sotto i nostri piedi e ha fatto una pulizia omerica, esatta, sia filosofica che lirica». Il
risultato di quella 'pulizia omerica' fu una nuova concezione dello spazio e dell'abitazione che
Loos imponeva, nei suoi edifici, con l'autorità
dei grandi maestri. Spesso rivoluzionario nelle
soluzioni, eppure legato come pochi alla grande tradizione architettonica e artigianale, Loos
è un caso di clamorosa indipendenza di spirito
nel nostro secolo. Molti architetti, e non dei mi-
nori, hanno derivato ricchi insegnamenti dalla
sua opera; ma *tutti* gli architetti possono riconoscere in lui l'unico che sia riuscito a condurre
una critica radicale (e spesso anche esilarante)
della figura sociale dell'architetto contemporaneo, l'unico che – grande architetto – abbia saputo scrivere tranquillamente: «È noto che non
annovero gli architetti fra gli esseri umani».

1972

« VITE IMMAGINARIE »
DI MARCEL SCHWOB

«È haschisch... dà fuoco all'immaginazione»,
così disse il poeta Albert Samain quando lesse

le *Vite immaginarie* di Marcel Schwob. Il fuoco di questo libro brucia ancora: oggi, se tanti lettori scoprono in Borges gli incanti più sottili e vertiginosi del fantastico e di una certa occulta matematica della narrazione, riconosceranno in Schwob un maestro e un modello di quella letteratura.

Erudito esploratore della biblioteca di Babele, autore precocissimo di fondamentali ricerche sulle origini dell'*argot*, appassionato cultore di Villon, che ricondusse al suo vero luogo, fra i malfattori della banda dei Coquillards, Marcel Schwob (1867-1905) inventò un nuovo genere di narrativa d'avventura, che non cerca un contatto diretto con la realtà, ma passa per le vie traverse della filologia e della mistificazione, sprofonda nella «antichità eliogabalesca» – così disse E. de Goncourt – come in una riserva di sogni, per rendere alla vita bruta quella carica allucinatoria che essa ha in origine. A lui, giovane che fu sempre vecchissimo, fecero omaggio Jarry e Valéry, dedicandogli le loro prime opere; e Oscar Wilde, dedicandogli *The Sphinx*. Nella Parigi dei martedì di Mallarmé e dei gloriosi inizi del «Mercure de France», anni in cui fu disegnata in ogni particolare la carta della modernità letteraria, di cui ancora viviamo, l'ombra elusiva e notturna di Marcel Schwob ci appare a ogni crocicchio essenziale. Le *Vite immaginarie*, pubblicate nel 1896, segnano il culmine della sua parabola: sono ventitré 'percorsi di vita', brucianti di rapidità, dove incontriamo personaggi illustrissimi, come Empedocle o Paolo Uccello o Petronio, e gli ignoti destini di Katherine, merlettaia nella Parigi del Quattrocento, o del maggiore Stede Bonnet, 'pirata per capriccio', o degli impeccabili assassini Burke e Hare – e tutti circondati dalle folle senza nome di mendicanti, criminali, prostitute, mercanti e eretici che abitano la storia. Ma tutti eguaglia la prosa illusoriamente semplice di Schwob. Per lui, secondo l'esempio di Aubrey e di Boswell, la biografia è scienza dell'infimo particolare; il suo occhio coglie solo quei gesti, quei momenti che distinguono irrevocabilmente un destino da ogni altro. Eppure, come Schwob stesso disse del suo amato Stevenson, si tratta di un «realismo perfettamente irreale, e appunto perciò onnipotente».

È vano, come pure in Borges, tentare di discriminare il vero e l'immaginato in queste superfici splendenti, perché tutto vi è visionario e segretamente unito in una sola catena, a dimostrare le parole di Schwob secondo cui «la somiglianza» è «il linguaggio intellettuale della differenza» e «la differenza... il linguaggio sensibile della somiglianza».

1972

«MEDITAZIONI SULLO SCORPIONE»
DI SERGIO SOLMI

Sergio Solmi è apprezzato, da anni, per le sue rare poesie, che non si dimenticano, e per gli illuminanti saggi letterari. Ma esiste un'altra dimensione della sua opera, la meno nota e forse la più rivelatrice, quella che permette di saldare le molte immagini dello scrittore in una: le prose, di cui Solmi ha qui raccolto una parte, quasi a comporre una complessa *linea di vita*, che va dagli anni venti a oggi. Percorrendo queste tracce continuamente divergenti, questi calcolati lampeggiamenti di immagini e idee, apparirà chiara la sorprendente singolarità di questo scrittore. Già nelle prime prose, che comparvero nel clima della 'prosa d'arte' e a esso sembravano adattarsi perfettamente, riconosciamo oggi degli elementi che non solo alla prosa d'arte erano estranei, ma disgraziatamente sono tuttora rimasti *stranieri*, ospiti di ben pochi scrittori, nella letteratura italiana: da una parte il tono di un pensiero educato su Valéry e Nietzsche, che s'inoltra nel reale partendo ogni volta da zero; dall'altra, la grande vena del fantastico, cui Solmi si abbandonerà sempre più con gli anni. Assiduo frequentatore delle «voragini discrete che s'aprono a ogni passo nel nostro incerto cammino», viaggiatore clandestino dell'immaginario in tutti gli interstizi del quotidiano, Solmi è divenuto una sorta di transfuga da una letteratura troppo domestica – e la sua defezione è stata coerente e sicura, anche se non si è dichiarata con squilli di tromba. Al contrario, egli ha pazientemente, occultamente scalzato un impianto neoclassico, fatalmente rigido e difensivo, contaminandolo con l'informe e col multiforme – tenendo sempre fermo, però, a una prosa limpidissima e composta. Movimento prefigurato con chiaroveggenza in una delle sue prose più vecchie, *Bisce acquaiole*, oscillazione fra le «statue» – le perfette «creature cieche», che nella loro purezza nutrono la morte – e il limo primordiale che le circonda, luogo delle terribilità naturali e delle «germinazioni buie e felici». Più avanti, nelle *Meditazioni sullo Scorpione*, certo una delle più belle prose italiane di questo secolo, maturata durante la guerra, Solmi ha in certo modo compendiato la sua evoluzione fissando i tratti del «nostro ancestrale totem»: nelle memorie infantili, nella fisiognomica astrologica, nella presenza immediata della distruzione, nelle allusioni della morfologia, in tutto questo ha attinto elementi per duplicare la mitica bestia in una possente immagine dell'ambivalenza: non da fuggire, ma da vivere continuamente, coltivando la precisione e circondati dall'oscurità. Procedendo oltre nelle divagazioni di questi ultimi anni, si constaterà poi come i confini del mondo di Solmi si siano allargati incessantemente: dalle carte geografiche dell'infanzia, primo e prediletto luogo del fantastico, l'occhio ha finito per spostarsi verso la sconcertante prospettiva di «infiniti mondi, infiniti sogni, infiniti destini paralleli», con cui il libro si chiude – come se il bambino, dopo molti anni, fosse giunto a constatare di vivere già nel luogo remoto indicato sulle carte dall'ominoso *hic sunt leones*.

1972

«INFERNO»
DI AUGUST STRINDBERG

La vita di Strindberg fu, come noto, una successione di cataclismi: il più brutale, il più fecondo, il più irriducibilmente strindberghiano fu quello del 1895, quando, a Parigi, la 'mano dell'invisibile' lo precipitò in un'esperienza surriscaldata, dissestante, introducendolo a terribili cieli e inferni, retti da quelle 'potenze sconosciute' che Strindberg riuscì poi, a sua volta, a introdurre nella letteratura scrivendo un romanzo-diario, *Inferno*, a caldo, come una stenografia visionaria, e insieme seguendo un piano complesso, cifrato: piano che difficilmente riesce a seguire chi legge solo la prima parte dell'opera, l'unica che finora si usava pubblicare. La presente edizione offre invece al lettore italiano, per la prima volta, *Inferno* nella sua integrità, e cioè come trilogia composta da *Inferno I*, *Leggende* e *Giacobbe lotta*.

Che cos'è l'*Inferno* di Strindberg? È, in primo luogo, quello che Swedenborg aveva descritto minutamente in tante sue opere e che ora Strindberg riconosce in ogni particolare attorno a sé, per le vie del Quartier Latin, come una lugubre messa in scena finalmente svelata. Ma non è solo questo: attore principale in una portentosa macchinazione, di cui resta sempre incerto chi sia l'autore, Strindberg ci appare qui al tempo stesso come l'alchimista delirante che in squallide stanze d'albergo trasforma il piombo in oro; come l'uomo dello 'scetticismo illuminato', che ha superato ogni illusione; come un lucidissimo ossesso per il quale ogni fatto è condannato a diventare segno; come il primo scrittore moderno che fa confluire fisiologia, psicologia e parapsicologia; come l'aruspice per cui ogni coincidenza è una 'corrispondenza'.

Queste contraddizioni si manifestano in una febbrile pulsazione della scrittura, in un continuo oscillare di intensità, che coinvolge il lettore con una violenza nuova alla letteratura. Questa violenza, di fatto, non è mai univoca: si viene a ogni passo sballottati fra il dramma cosmico e la farsa atrocemente buffa, tale è la sbalorditiva rapidità di Strindberg nel cambiare toni e registri, nel mescolare soprannaturale e quotidiano, nell'inoculare dubbi sull'esistenza di entrambi, nello strappare il riconoscimento dei loro sovrani poteri, nell'abbandonarsi al 'demone dell'analogia' senza mai giungere a un punto fermo. Oggi, come quando fu scritto, sul limitare di un secolo che vorrebbe essere *blasé*, il 'romanzo occulto' di Strindberg agisce come choc fulmineo, aprendo così la strada al lettore per penetrare nei suoi misteri comici, atroci, divini e demoniaci, e scoprire le tante rispondenze fra le sue tre parti, a trovare le quali molto aiuterà il lungo saggio di Luciano Codignola che accompagna questa edizione.

1972

« LULU »
DI FRANK WEDEKIND

La serata della prima rappresentazione del *Vaso di Pandora* a Vienna, il 29 maggio 1905, come la prima parigina dell'*Ubu re* di Jarry, è uno degli avvenimenti che inaugurano il teatro moderno. Quella sera, davanti a un pubblico di invitati filtrato con ogni cautela dall'autorità di polizia e dagli organizzatori, dopo una lunga presentazione di Karl Kraus, la scena si apriva su una vicenda sconvolgente, che allora apparteneva allo scandalo e oggi alla mitologia: la storia della fine di Lulu, archetipo violento della femminilità. Quella sera Lulu era Tilly Newes, che con la sua interpretazione conquistò Wedekind e ne divenne poi la moglie e l'attrice preferita; Karl Kraus stesso aveva la parte di Kungu Poti, principe africano; il brillante saggista viennese Egon Friedell era un commissario di polizia e, infine, Wedekind aveva la parte che corona questa discesa negli abissi, quella di Jack lo Sventratore.

Scrittore totalmente d'istinto, ma dagli istinti precisi, Wedekind irrompe con malagrazia nella storia del teatro, mostrando ciò che, allora, il teatro aveva quasi la funzione di occultare, e che indubbiamente non si rivelava in certi titanici, ma quanto timidi e *prudes*, campioni del moderno quali Ibsen. La carica sessuale che si era accumulata nella fine secolo, nascosta a fatica nella serra del *liberty*, dove la sessualità finisce per censurarsi nella nascita dell'astratto, esplode senza precauzioni con Wedekind. Le pedanti costrizioni del naturalismo vengono qui annientate proprio da un sovrappiù di crudezza nel materiale; e la vita bruta si rivelerà essere non una *tranche de vie*, ma al contrario qualcosa di inverosimile, che assume un tono di esasperazione astratta affine al teatro di marionette e al circo. E il riferimento a queste due forme, che sarà poi così ossessivo in tutta l'arte del Novecento, si presenta qui nella sua origine.

Preceduta da Strindberg, Sacher-Masoch e dalla *Sonata a Kreutzer*, cresciuta insieme alle prime grandi scoperte di Freud, agli attacchi di Kraus contro la scandalosa tutela della moralità sessuale, all'apparizione e al suicidio di Weininger, Lulu è la sovrana di quei brevi anni in cui la sessualità fu davvero un problema primario, che toccava le radici di tutto: reincarnazione della *mater saeva Cupidinum*, prostituta sacra, intatto essere preistorico, essa trascina con sé nella distruzione un corteo variegato di uomini, ma il vero oggetto della distruzione è lei stessa. Il destino che si compie in Lulu, giustiziata da Jack lo Sventratore, è quello che la società riserva a ogni *eccesso* che nella sua forza integra riesca a metterla in dubbio, eccesso di cui la donna e la natura sono insegne privilegiate. Nessuno come Karl Kraus ha saputo interpretare i molti sensi di questa vicenda, perciò il suo splendido saggio introduce qui l'opera; come ultima eco del testo si raccomanda invece al lettore di ascoltare il sassofono 'delinquenziale' nella incompiuta *Lulu* di Alban Berg.

1972

«VISITA A ROUSSEAU E A VOLTAIRE» DI JAMES BOSWELL

Il giovane Boswell, nel corso del suo *grand tour* del 1763-1765, ha uno scopo che gli sta a cuore non meno delle visite alle varie corti d'Europa: conoscere personalmente i due astri intellettuali della sua epoca, Voltaire e Rousseau, che vivevano allora in più o meno volontario confino in Svizzera, a poca distanza l'uno dall'altro. Due esseri opposti, egualmente difficili da avvicinare, con i quali Boswell, grazie alla sua straordinaria capacità di farsi benvolere, riuscì subito a stabilire un contatto. Il suo racconto di tali incontri è un esempio di eccelso giornalismo: da questo botta e risposta, che passa rapidamente dalle minuzie quotidiane ai problemi più vasti, ricaviamo un'impressione vivissima della *maniera* e del *tono* dei due scrittori: Rousseau, ipocondriaco, malato, vive in una casetta, accudito da Thérèse Le Vasseur (che dimostra subito un certo *faible* per il giovane visitatore inglese), parla di donne e di libri, di amicizia e di religione, con scatti d'umore che lo fanno passare dalla magnanimità all'intolleranza verso il suo interlocutore, il quale, per parte sua, resiste indefesso a ogni insolenza; Voltaire, mondano e mordace, nel suo castello di Ferney, parla di politica e di letteratura inglese senza perdere un'occasione per lanciare le sue frecciate, neghittoso e beffardo di fronte agli inviti a occuparsi dell'anima che il suo candido ospite si sente in dovere di rivolgergli. Con arte quasi inconsapevole, con un piglio di sorprendente modernità, Boswell è riuscito ad abbozzare un ritratto memorabile dei due più moderni fra i suoi contemporanei.

1973

Henry Corbin è stato uno dei grandi maestri degli studi islamici, anzi un vero maestro del pensiero filosofico-religioso, dedito per decenni all'immensa impresa di reintrodurre, o presentare per la prima volta, in Occidente le portentose ricchezze del sapere islamico. E non solo di quella parte di esso con cui l'Europa, durante il Medioevo, ha avuto rapporti fittissimi e tuttora in buona misura da esplorare – basti pensare all'importanza che ebbero Avicenna e Averroè – ma di tante scuole e ramificazioni che erano fino a oggi, da noi, quasi del tutto ignote o malamente capite. Quest'opera di mediazione, che dà ai lettori sorprese paragonabili a quelle di chi fu contemporaneo delle prime grandi traduzioni di classici estremo-orientali, è oltre tutto di una specie singolarissima: infatti Corbin non ci parla soltanto da grande studioso occidentale, dopo decenni di ricerche su una materia sterminata, ma in certo modo *dall'interno* di una tradizione che il suo pensiero in certo modo *prosegue*: la gnosi shi'ita.

È chiaro perciò che questa sua *Storia della filosofia islamica*, dalle origini ai nostri giorni, mette in crisi in primo luogo la comune nozione di storia; non solo: Corbin, in questo suo felicissimo profilo, rivoluziona le gerarchie acquisite, sia dei pensatori sia dei problemi. È suo presupposto, infatti, che sia del tutto inutile individuare quali sono, nei pensatori islamici, le risposte ai problemi che si sono cristallizzati nella *nostra* filosofia. Al contrario, Corbin si sforzerà di reperire innanzitutto le categorie peculiari, spesso totalmente diverse dalle nostre e quasi intraducibili in esse, entro le quali si muovono le diversissime correnti del pensiero islamico – e meglio sarebbe dire tradizioni, essendo in Islam la filosofia sempre coincidente con una certa posizione religiosa, dal sunnismo allo shi'ismo duodecimano, all'ismailismo, al sufismo. Scopriremo così che alla loro base è il diverso *atteggiamento esegetico* verso il Corano: atteggiamento che va dal letteralismo legalistico sunnita al vertiginoso esoterismo shi'ita.

In questo ambito, vastissimo, che mai era stato descritto con tale lucidità e appassionata partecipazione, si svolge per secoli un'avventura dello spirito che sembra essere stata tanto più audace proprio nelle zone che invece in Occidente si sono pressoché atrofizzate: accanto a una filosofia islamica intesa in senso assai vicino a quello occidentale, scopriremo così, guidati da Corbin, le linee di una *filosofia profetica*, di una *teosofia*, di una *imamologia*, di una *angelologia*. E molti particolari oscuri nella storia del pensiero occidentale ci appariranno, come di riflesso, improvvisamente illuminati, ritrovando il loro contesto, fuori dalla fittizia gabbia europea, in un ampio cerchio geografico, finalmente fedele alla realtà degli scambi e dei contatti delle civiltà e delle idee.

1973

Il pellegrinaggio in Oriente (1932), il più perfetto
dei romanzi brevi di Hesse e quasi lo stemma
di tutta la sua opera, racconta un'esperienza
unica e inaudita, che ha luogo, non a caso, in
quel «periodo torbido, disperato, e tuttavia così fertile che seguì la prima guerra mondiale».
Uniti in una misteriosa Lega, le cui regole paradossali e sapienti ripetono – riflesse nello specchio del *Bund* romantico – quelle di antichi
gruppi iniziatici, uomini disparati si mettono
in cammino verso una meta che non è un luogo ma una dimensione *altra* della realtà. Ricer-
catori del *tao* e della *kundalini,* silenziosi aiu-
tanti, il pittore Paul Klee, lo stesso Hermann
Hesse, che è il protagonista, e tanti altri personaggi partecipano a questo singolare viaggio
che non ha certo inizio con loro ma è un incessante movimento che percorre il tempo da
sempre, e in cui tutti i nomi della storia possono comparire quali momentanei compagni. Ma
questo è solo il primo dei molti e conturbanti
segreti che incontrerà il lettore nei meandri di
una favola che insegna un nomadismo radicale
da una realtà che ci è imposta verso un'altra,
sfuggente, beffarda e piena di tranelli, che però poi si rivelano essere mezzi pedagogici di un
violento svezzamento, usati per dissolvere le ultime, tenaci resistenze al viaggio senza ritorno
verso Oriente. Non meraviglia – dato questo
schema e la felicità con cui è sviluppato – che il
piccolo libro sia stato riscoperto ed esaltato in

questi ultimi anni da tanti che hanno sentito di soffocare nell'aria in cui erano nati.

1973

« LA TERRA ROSSA »
DI W.H. HUDSON

« *La terra rossa* è uno dei pochissimi libri felici che ci siano al mondo», ha scritto Jorge Luis Borges. Di fatto, questo romanzo possiede la felicità, nell'unico modo, quasi inconsapevole, con cui si può possedere la più volatile dea: una felicità contagiosa, anche per il lettore, che incontra questo libro come uno di quegli amori immediati, rapidissimi e crudeli che balenano nelle sue pagine.

A Montevideo, verso il 1870, in un periodo di aspre contese civili, il giovane inglese Stephen Lamb abbandona la sua sposa-bambina, Paquita, per trovare lavoro all'interno del Paese. Quando egli parte con questo proposito, e una certa boria britannica, non sa che la sua mente segue un pretesto labilissimo, che servirà solo ad adescarlo all'avventura, nella incantata esplorazione della immensa Terra Rossa, illusoriamente monotona come il mare, punteggiata dalle isole delle *estancias*, che celano vicende imprevedibili. Stephen Lamb, come ogni ulisside, ha quell'accortezza che gli permette di indovinare sempre i gesti giusti – o per lo meno i gesti che salvano la vita – in un mondo dove vigono regole tutte da scoprire; per il resto è un giovane «op-

presso dalle armi e dalla corazza della civiltà»,
ma che non osa confessare a se stesso la noia
che quest'ultima gli ispira: carico di vitalità, è
pronto a trovare qualsiasi scusa per rimandare
il ritorno a quella sua 'adorata moglie'. E ogni
scusa è un incontro, ogni incontro la scoperta
di un intreccio sorprendente di vite, e ogni scoperta porta presto le sue conseguenze, che ta-
lora si dissolvono nel fumo di una pistola o nella luce dei coltelli. E ogni luogo lascia nella memoria del lettore un grappolo di immagini ani-
mate da quella portentosa vividezza nel particolare che è il segreto dell'arte di Hudson – un vero insolubile segreto, come sentì Conrad: «Non
è possibile dire come quest'uomo raggiunga i
suoi effetti. Scrive come l'erba cresce». Molte e
disparate cose incontriamo insieme a Stephen
Lamb: *gauchos* taciturni e temibili, inglesi eccentrici e miserabili che affogano nel rum le loro
nostalgie, un enigmatico capo rivoluzionario,
bestie, piante e paesi che vivono come personaggi, donne dal fascino più diverso, fra le quali una splendida *pasionaria* che l'ulisside non potrà fare a meno di trattare meschinamente, un
vecchio di diabolica prolissità, un guerriero cie-
co e pazzo, assassini e giudici – e tutti gli oscuri
destini, le battaglie e i fantasmi della Terra Rossa. Alla fine, come vuole la regola del genere letterario 'nomade e rischioso' cui appartiene il
libro, il protagonista torna al suo punto di partenza. Ma ormai del tutto *acriollado*, beatamen-
te corrotto dalla semibarbara Terra Rossa, alla
quale non augura più, come all'inizio delle sue
avventure, i benefici civilizzatori del dominio in-

glese: anzi, egli ora vede che qualsiasi intervento europeo in quel meraviglioso e precario equilibrio non potrebbe che essere distruttivo, e le
sue riflessioni anticipano ciò che poi è successo,
sicché giustamente Martínez Estrada ha scritto
che «nelle ultime pagine della *Terra Rossa* è con-
tenuta la massima filosofia e la suprema giustifi-
cazione dell'America di fronte alla civiltà occidentale e ai valori della cultura cattedratica».
Con questi lucidi pensieri, che potrebbero spin-
gersi molto lontano, Hudson ci abbandona, eppure il suo gesto di congedo non è più nella riflessione ma ancora una volta nella vita, poiché,
come egli ci dice, adattando una frase famosa,
«ogni volta che tentavo di essere un filosofo ne
ero impedito perché irrompeva sempre la felicità».

1973

«UNA VISIONE»
DI W. B. YEATS

«Il pomeriggio del 24 ottobre 1917, quattro
giorni dopo che mi ero sposato, rimasi stupito
nel vedere mia moglie che tentava la scrittura
automatica. Ciò che veniva fuori in frasi staccate, in una grafia quasi illeggibile, era così esaltante, a volte così profondo, che la convinsi a
dedicare tutti i giorni una o due ore all'ignoto
scrittore, e dopo una mezza dozzina di queste
ore mi offersi di passare il resto della mia vita a
spiegare e a mettere insieme quelle frasi spar-

se. "No," fu la risposta "noi siamo venuti a darti metafore per la poesia"». È questo l'inizio della 'esperienza incredibile' del grande poeta irlandese W.B. Yeats, che culminò anni dopo nella stesura di *Una visione*. Al periodo della scrittura automatica seguì, a distanza di qualche mese, la comunicazione orale dei misteriosi 'istruttori', che parlavano ora attraverso la voce della donna addormentata. Yeats trascriveva ciò che udiva e interrogava incessantemente. Col tempo venne a delinearsi un sistema complesso e minuzioso, una rivelazione ermetizzante, che illuminava la cosmologia e la storia mediante diagrammi simbolici e uno schema di 'incarnazioni' corrispondenti alle ventotto fasi della luna, ruota dove si iscrive ogni esperienza umana, dall'infima alla suprema: per ognuna di esse Yeats ci offre dei personaggi esemplari, scelti nell'immensa riserva della storia – fra gli altri, Whitman, Spinoza, Keats, Flaubert, la regina Vittoria –, ai quali dedica ogni volta un ritratto di preziosa acutezza.

Ma la sorprendente genesi di questo libro non si differenzierebbe di molto dalle tante vicende spiritiche e occulte che invasero il mondo a partire dalla seconda metà dell'Ottocento, se non fosse che qui è coinvolto W.B. Yeats, non solo grande poeta e uno tra i fondatori della poesia moderna, ma teorico dei sovrani poteri formali dell'arte. Di fatto, a lui, i misteriosi 'istruttori' non offrono le usuali banalità che fanno saltare i tavolini, ma 'metafore' per un maestro della metafora, una macchina mitica di cui egli, giunto sulla soglia della fase ultima e più ricca della sua opera di poeta, sente fortemente l'esigenza. *Una visione* ci mostra appunto come l'intervento degli ignoti Altri provochi un processo di potente condensazione delle idee e della sensibilità di Yeats, che qui sembrano fissarsi in una forma imprevedibile, eppure del tutto coerente con la sua persona. D'altra parte, fra l'occulto e la letteratura esistette per Yeats, fin dall'inizio, un vivacissimo scambio, che fu in ogni momento ambiguo, e *Una visione* non vale certo a risolvere questa ambiguità: anzi, infiltrando nel grandioso insieme un elemento grottesco e di patafisica comicità, bilanciando a ogni passo riverenze e insolenze, Yeats ci fa intendere che certamente sbagliate sono proprio le due prime soluzioni a cui il lettore può pensare, e cioè che l'elemento occulto sia riconducibile immediatamente all'artificio letterario oppure che qui la letteratura si pieghi a diventare veicolo dell'occulto. Ben più inquietante è il fondo di quest'opera, in cui si ritrova uno dei paradossi dell'arte moderna, per cui molto del più rigoroso formalismo si è sviluppato dal più contaminato occultismo (basti pensare ai casi di Kandinsky e di Schönberg). Yeats aveva di ciò chiara coscienza e, nell'introdurre questa sua opera eccentrica, dove però aveva descritto il meccanismo che è al centro della sua poesia, accennò al segreto che vi si cela: «Le Muse sono simili a donne che di notte escono di nascosto e si concedono a marinai sconosciuti e poi tornano a parlare di porcellane cinesi».

1973

Non si vive di solo Brecht – e in questi ultimi anni, nei paesi di lingua tedesca, critici, lettori e pubblico hanno riscoperto con molto clamore un'altra grande figura del teatro del Novecento, la cui critica sociale non è certo meno corrosiva di quella di Brecht, e che pure da lui si differenzia in tutto, nei procedimenti, nell'educazione, nel senso della forma: Ödön von Horváth (1901-1938). Nel suo sangue si mescolavano molte delle nazioni dell'Impero, tanto che egli diceva di essere una «tipica faccenda austro-ungarica» – e, di fatto, Horváth può essere considerato come l'ultimo rappresentante del teatro viennese, che era sempre riuscito a essere, al tempo stesso, popolare e sottratto alle vane tentazioni del verismo. Ma Horváth si trovò davanti al paradosso di scrivere teatro popolare in un'epoca in cui il popolo era ormai diventato un'entità fantomatica – e in un periodo sinistro della storia, quando il nazismo era già una costellazione compiuta in tutti i suoi elementi e aspettava soltanto di raccogliere il potere. Horváth si accorse subito di vivere in un mondo abitato «per il novanta per cento da piccoli borghesi appena riusciti, o non ancora, a diventare tali, comunque da piccoli borghesi». Vide anche che la loro prima caratteristica era una sorta di fatale coazione a esprimersi, sentire, e vivere nel *Kitsch*. Riconosciuto questo dato, Horváth ne trasse le conseguenze formali con perfetta lucidità. Le sue grandi «commedie popolari», che in questo volume si presentano, sono tutte delle enormi ballate di morte, dove i numerosi personaggi si alternano con musicale leggerezza sulla scena per dire atroci frasi fatte e compiere infine atroci atti, sullo sfondo di musiche pregne di *Kitsch* o costrette di violenza a diventare tali: l'operetta, le canzoni di birreria, i valzer, la barcarola dei *Racconti di Hoffmann*. In un certo senso tutto questo teatro è citazione da una mostruosa, stravolta e inesauribile *vox populi*, e tale procedimento formale, di cui sono evidenti la novità e la portata, ha permesso a Horváth di penetrare forse più di ogni altro autore teatrale nella zona di melensa sentimentalità, accumulato rancore sociale, ammirazione per la ferocia, incancrenita ipocrisia, da cui è nato e nasce continuamente il fascismo. Per Horváth, la prima macchina teatrale delle sue commedie sono i riti collettivi della piccola borghesia: il picnic nei boschi, la «Oktoberfest» a Monaco, la «notte all'italiana». Gli innocenti passatempi della gente semplice illuminavano più di ogni altra cosa l'orrore ormai neppur più latente. E, dietro alle feste, traspare sempre un'immobile struttura di persecuzione, che apparirà a nudo nella parabola di *Fede speranza carità*.

Oggi, la precisione e la chiaroveggenza di queste terribili commedie scritte 'a caldo' ci appare sempre più impressionante; ma, anche prescindendo dal momento storico a cui sono legate, dobbiamo riconoscere in Horváth uno dei

più grandi esperti della stupidità e volgarità u-
mane. «Nulla quanto la stupidità dà il senso del-
l'infinito»: in questo infinito egli guida il suo lettore ammirato e agghiacciato.

1974

«SULL'UTILITÀ E IL DANNO DELLA STORIA PER LA VITA» DI FRIEDRICH NIETZSCHE

Incubo e idolo dell'età moderna, la *storia* – come storicismo e senso storico – non è solo una
conquista dello spirito illuminato, ma una «febbre divorante», una «virtù ipertrofica» che può
essere rovinosa: questo il punto di partenza di
Nietzsche non ancora trentenne nell'affrontare il tema di questa sua «seconda considerazio-
ne inattuale», che fu pubblicata nel 1874. Più di
cento anni sono passati da allora e l'attualità clamorosa di questo Nietzsche perennemente «i-
nattuale» appare sempre più evidente. Le pagine che qui leggiamo hanno trovato e trovano
conferme continue, non più soltanto negli at-
teggiamenti della cultura, ma in tutti i meccani-
smi della società. Il passato, ormai disponibile
in tutte le sue forme, anche le più remote, mi-
nuziosamente archiviato e setacciato, non è per
ciò divenuto più vivo né aiuta la vita – anzi appare sempre più come una immane e oppressi-
va allucinazione. E così è, argomenta Nietzsche,
proprio perché il senso storico non permette lo
scontro bruciante con le forze del passato, ma

vuole inglobarle in sé come reliquia esotica, con ingiustificato sottinteso di benevola superiorità – e quindi cela un movimento ostile alla vita, tende a svellere la sua stessa base, che è quella «cosa sola per cui la felicità diventa felicità: il poter dimenticare o, con espressione più dotta, la capacità di sentire, mentre essa dura, in modo *non storico*».

Magistralmente orchestrato in un'analisi dei «servigi che la storia può rendere alla vita» e dei danni che le arreca, questo breve scritto è una sorta di cartello di sfida che il giovane Nietzsche ha posto sulla soglia della sua opera speculativa e che non ha ancora trovato risposta.

1974

«LO SCROCCONE» DI JULES RENARD

Forse soltanto *Bouvard e Pécuchet* sta accanto a questo meraviglioso *Scroccone* per la comicità asciutta e feroce. I buoni lettori lo videro subito, quando il romanzo fu pubblicato, nel 1892, e ci fu anzi chi sussurrò: «Come crudeltà, batte di molto *Bouvard e Pécuchet*». Qui l'immortale coppia flaubertiana è sostituita dalla esilarante simbiosi fra il giovane Henri, parassita letterato, e Madame Vernet, brava e sognante signora borghese, mitemente bovaristica, sotto gli occhi torpidi di Monsieur Vernet, che non ha tempo per le mollezze poetiche dalle quali è però bovinamente incantato, e lascia che si sviluppi in casa sua un flirt adulterino all'insegna della vigliaccheria, della *sensiblerie* e della totale falsità. Henri, lo scroccone, paga con fini motti il suo pensionato permanente in casa Vernet, si lancia in esaltate *rêveries* passionali sulla signora, frenate soltanto – e subito – dal timore di perdere qualche piccolo vantaggio della sua posizione, tenta persino un maldestro stupro sulla nipote («se stupra, si meraviglia di non stuprare come in letteratura», scriverà Schwob), infine, per evitare spiacevoli crisi, abbandona la famiglia Vernet per cercarne un'altra dove ricominciare lo stesso lavoro: infatti, come scrive Alfredo Giuliani nella sua nota a questa edizione, «abietto, lucido e pusillanime, innaturale e fervido di simulazioni, fulmineo nello schivare al tempo giusto l'inetta catastrofe che ha provocato, questo letteratuccio arrampicatore non s'inganna mai», sicché – dopo appena poche pagine che lo vediamo in azione – sappiamo già di trovarci di fronte a un essere indistruttibile, promesso a eterne reincarnazioni, uno dei rari grandi archetipi psicologici che la letteratura moderna sia riuscita a creare. Con questo breve libro Renard ha raggiunto il vertice della sua arte: in una prosa tutta piccoli scatti infallibili, freddi e nevrastenici, frastagliata in rapidi dialoghi che, nella loro abissale banalità, toccano il fondo dello *humour* nero, ha composto un romanzo di una modernità che lascia allibiti, ha affilato una lama che taglia sempre perfettamente.

1974

Daniel Paul Schreber, presidente della Corte
d'Appello di Dresda, figlio di un illustre educa-
tore dalle idee ferocemente rigide, ebbe nel
1893, a cinquantun anni, una grave crisi nervosa ed entrò nella clinica psichiatrica di Lipsia,
affidandosi all'autorità del suo direttore, l'ana-
tomista P.E. Flechsig. La crisi aveva avuto inizio
quando un giorno, nel dormiveglia, il presidente Schreber si era trovato a pensare che «do-
vesse essere davvero molto bello essere una donna che soggiace alla copula». A partire da questo punto si sviluppò in lui un prodigioso delirio, che lo fece passare per tutti gli estremi della tortura e della voluttà, coinvolgendo dèi, a-
stri, demiurghi, complotti, «assassinii dell'anima», catastrofi cosmiche, rivolgimenti politici.
Al centro di tutto erano la convinzione, in Schreber, di trovarsi vicino a essere trasformato in
donna, e la sua lotta stremante contro un Dio
doppio e persecutore. È comunque difficile dare un'idea in poche parole della sconvolgente
architettura di immagini, nessi, illuminazioni
tragiche e comiche che il lettore incontrerà in
questo libro, scritto da Schreber dopo sei anni
di malattia, con lo scrupolo di uno specchiato
magistrato prussiano, con fermo rigore logico,
con sprazzi di paurosa intelligenza, con la cupa
determinazione di un trattatista gnostico, alli-
neando pacatamente la sequenza di enormità
che aveva vissuto e ragionandoci sopra. Con que-

ste *Memorie* egli voleva, fra l'altro, dimostrare di non essere pazzo – e incredibilmente ci riuscì, sicché il suo ricorso in appello contro la sentenza di interdizione venne accolto, permettendogli di tornare a vivere per qualche tempo nella società.

Della eccezionale importanza di questo testo si accorse per primo Jung, che lo citava già nel 1907 e lo fece leggere a Freud nel 1910. Anche Freud ne fu subito molto impressionato, e scrisse a Jung che Schreber «avrebbe dovuto essere fatto professore di psichiatria». La lettura di queste *Memorie* fece cristallizzare in Freud la teoria della paranoia, e così nacque il suo famoso saggio universalmente noto come 'il caso Schreber', che sarà una delle occasioni su cui scoppierà il dissenso con Jung. Ben meno conosciute – fra l'altro perché la famiglia di Schreber sequestrò gran parte dell'edizione originale – sono le *Memorie*, che invece meritano di essere considerate uno dei libri-chiave della nostra epoca. E infatti nel corso degli anni, e soprattutto in questi ultimissimi tempi, un nugolo di interpretazioni si è addensato intorno a esse, sicché questo testo è diventato una sorta di *prova del fuoco* della teoria psicoanalitica, come ha visto Lacan nel lungo saggio che gli ha dedicato. Ma, anche al di fuori del contesto psicoanalitico, le *Memorie* di Schreber agiscono come una provocazione potente: basterà ricordare le memorabili pagine su Schreber in *Massa e potere* di Elias Canetti, che illuminano il rapporto fra paranoia e potere politico.

1974

«PER CHI SUONA LA CLOCHE»
DI ANGUS WILSON

Figlia di un re del dentifricio, grassoccia, cala-
ta dal suo Middle West nell'Europa dei «favolosi Anni Venti», avida di ogni novità, di grandi
sarti e memorabili *parties*, ma soprattutto di uomini poco raccomandabili – che sceglie generalmente fra boxeurs, gigolos e toreri –, la scon-
solata vedova Maisie si lancia in sgangherate avventure, che vengono rievocate a più voci, dopo
il suo funerale, da figli, parenti e amici. Imba-
razzati da tale invadente personaggio, tutti devono però ammettere, a denti stretti, che Maisie,
nella sua irrimediabile ineleganza e voracia, era
l'unica fra loro che sapesse veramente obbedi-
re al grande imperativo dell'epoca: «divertirsi».
Angus Wilson, scrittore dall'infallibile orecchio
per i toni sociali, ha costruito su questo pretesto un delizioso balletto – dove le quinte sono il
Bal Nègre e Cecil Beaton, Josephine Baker e Dé-
kobra, Noel Coward e Cocteau, Isadora Dun-
can e Gertrude Stein –, un rapido libro dove il
lettore, con ogni sforzo, non riuscirà a non ride-
re, aiutato anche dai pungenti disegni di Philippe Jullian. Pubblicato per la prima volta nel
1953, *Per chi suona la cloche* è la felice parodia
non soltanto di un'epoca e di un costume, ma di
un fenomeno che si sarebbe manifestato solo in
questi ultimi anni: la trasformazione dei «favolosi Anni Venti» in una faccenda eminentemente di antiquariato turistico.

1974

Momenti d'ozio, una delle opere supreme di tutta la civiltà giapponese, fu scritto fra il 1330 e il 1332, e si compone di 243 capitoli di lunghezza oscillante fra le poche righe e le poche pagine. Secondo una versione dei fatti accreditata per lunghi anni, l'autore, il monaco buddhista Kenkō, avrebbe via via incollato le strisce di carta contenenti i singoli brani del libro sulle pareti della sua casa. Dopo la sua morte, altri avrebbero messo insieme tali frammenti, in cui molti lettori dovevano trovare quello che è forse il più essenziale concentrato dello spirito giapponese. Tale leggenda servì, in certo modo, a giustificare quel peculiare carattere di 'non finito', di 'non forma' che è proprio di questo libro e che è stato per lungo tempo, in Giappone, un vero metodo di composizione, chiamato *zuihitsu*, cioè «segui il pennello» – certo il più adatto per Kenkō, nemico di ogni imperiosità della scrittura, di ogni volontà di chiudere, di ogni pretesa di fissare le cose per sempre, impareggiabile innanzitutto come maestro di eleganza, di sprezzature e di *understatements*, tanto da far apparire goffi e maldestri i massimi rappresentanti dell'estetismo in Occidente.

Un paesaggio, un gesto, un oggetto, una cerimonia, una parola, un aneddoto, un'espressione del viso sono tutti ugualmente pretesi per le riflessioni solitarie di Kenkō. E le sue note non hanno intenti pedagogici o religiosi: mirano piuttosto a delineare le cose fuggevolmente, per il puro piacere di tracciare dei segni, di nominare il mondo nella sua precarietà, in quel suo carattere di 'impermanenza' che nessuna civiltà ha saputo esaltare come la civiltà giapponese, e all'interno di essa nessuno più di Kenkō. È così una mescolanza inconfondibile di distacco dalle cose e di piacere per ogni particolare di esse che parla in questi *Momenti d'ozio*, vero libro di lettura che si può aprire a caso, in qualsiasi occasione della vita, trovandoci ogni volta un particolare, una luce, un segno adatti a quel nostro momento.

1975

« MEMORIE DI UNA MAÎTRESSE AMERICANA » DI NELL KIMBALL

«Ogni ragazza siede sulla sua fortuna, e non lo sa» disse la zia Letty alla nipote Nell Kimball, che aveva allora otto anni. E si può dire che tutta la vita di Nell – prima come puttana di bordello, poi come mantenuta, infine come tenutaria essa stessa di bordelli di lusso a New Orleans e a San Francisco, da lei innalzati a una sorta di perfezione – sia stata un adeguato, intelligentissimo commento a quella frase di brutale sapienza. «Per un mucchio di gente, l'unica soddisfazione è guastare il piacere agli altri» era un'altra massima della zia Letty, e per evitare che il padre, un rozzo e brutale coltivatore dell'Illinois che citava a ogni passo la Bibbia, desse un'ulteriore dimostrazione di quella massima, la piccola Nell scappò giovanissima di casa, per approdare presto in un curioso bordello Biedermeier a Saint Louis, Missouri, dove si ambientò con facilità. «Il mio *college* fu il bordello»: Nell cominciò veramente a osservare la vita, e a scoprirla, nel salone pesantemente decorato di quella casa, in quell'aria greve, impregnata di cipria, fumo di sigari, lucido per mobili, corpi di donna, vapori di whisky, che da allora l'avrebbe sempre avvolta. Aveva una straordinaria intelligenza naturale, che le permetterà poi di dimostrarsi, in queste sue *Memorie*, anche una scrittrice straordinaria; era curiosa, avida e lucida, felicemente priva di sentimentalismi e sensi di colpa, capace di entusiasmo – il suo grande amore con il gangster Monte è clamorosamente romantico –, ma soprattutto saggia, equilibrata e sicura nel valutare le persone e le cose, con un senso della misura che possiamo senza paradosso definire classico.

Guidati da lei e dal suo vivacissimo linguaggio, che passa con noncuranza dai gerghi del sottomondo alle parole 'cólte', esploriamo affascinati l'altra faccia della vita rispettabile dell'America fine Ottocento-primo Novecento, veniamo introdotti alle sottigliezze dei cerimoniali del bordello, penetriamo nei bassifondi cittadini, scopriamo i vari codici che regolavano i rapporti fra tenutari, puttane, poliziotti, uomini politici, malavita, giornali – e insieme vediamo delinearsi ritratti memorabili, da quello dell'amato Monte, gangster cerebrale, delicato e astratto, a quelli delle varie Belle, Frenchy, Rotary Rosie,

Mollie, Minna, che in vari momenti condivisero la vita di Nell.

La filosofia del bordello è un libro che Nell Kimball avrebbe potuto scrivere con eccellenti risultati, ma che non ha scritto, forse per discrezione, avendo preferito profondere i tesori della sua esperienza nella più accessibile forma di queste *Memorie*, che già danno, di quella filosofia, una nozione precisa: il bordello vi appare come un mondo chiuso e a suo modo completo, dove il sesso ha soltanto il posto d'onore – un sontuoso letto – e intorno ritroviamo, equamente disposti su vari *poufs*, anche gli altri Vizi, in colloquio non pregiudizialmente ostile perfino con alcune Virtù. Il sesso di cui ci parla la Kimball non è, comunque, la «pura fantasia» dei romanzi pornografici o quella, equivalente, dei romanzi *prudes* e sentimentali: è una realtà concreta, profondamente conosciuta, sperimentata e capita, raccontata senza nascondere nulla, con puntiglio professionale, e insieme osservata con quel senso della distanza che hanno soltanto i grandi narratori.

1975

«IL RITORNO DI CASANOVA»
DI ARTHUR SCHNITZLER

Giacomo Casanova, Cavaliere di Seingalt, giunto a cinquantatré anni, ormai stanco di avventure erotiche e di traffici politici, sente sempre più forte il bisogno di ritornare nella sua città, Venezia, da cui tanti anni prima era fuggito con la sua mirabolante evasione dai Piombi. Ma, proprio quando la meta è vicina, il destino gli fa incontrare la giovanissima Marcolina, non ancora ventenne eppure dotta studiosa di matematiche superiori e lucida illuminista. Questa donna, che lo guarda con una freddezza che Casanova mai prima aveva visto in uno sguardo femminile, lo costringe a gettarsi perdutamente in un intrigo rovinoso. E, proprio in quell'avventura, gli balena l'immagine di una felicità incomparabile, che vince di sorpresa la sua cinica sapienza: un'immagine che gli si mostra per negarsi poi subito e abbandonarlo, come un'ultima beffarda apparizione della vita.

Arthur Schnitzler, il magistrale evocatore della Vienna leggera e crudele degli ultimi anni absburgici, rivela in questo breve romanzo, che è forse la sua opera più segreta e personale, tutta la sua chiaroveggenza psicologica – quella per cui Freud gli scrisse che temeva di incontrarlo in quanto riconosceva in lui il suo Doppio. Una trama maliziosa, che potrebbe apparire di sfuggita in un capitolo delle *Memorie* di Casanova, si dilata qui in un feroce scontro fra Amore e Morte, che viene a porre un sigillo sinistro su questa tappa della carriera di un libertino, ormai segnata dall'angoscia della fine. Come nell'*Andreas* di Hofmannsthal, il *décor* settecentesco, che Schnitzler ricostruisce con sovrana eleganza, accoglie in una luce d'autunno, nitida e sensuale, un teatro di maschere dietro cui si intravede un mondo di quasi insostenibile dolcezza e crudeltà, quale doveva apparire, in uno sguardo di congedo, al limpido occhio nichilistico dello Schnitzler maturo. E tale è la forza e la precisione musicale del racconto che, senza bisogno che vengano additati, vi affiorano naturalmente i suoi temi: l'impossibilità di ogni ritorno e di ogni unione con se stessi, la lotta con il proprio Doppio, la certezza che il principe degli ingannatori è anche il primo degli ingannati, infine che l'inganno è l'unica forma in cui la vita si offre.

1975

« LO SCRUTATORE D'ANIME »
DI GEORG GRODDECK

«Non è facile sopportare pensieri così intelligenti, audaci e impertinenti» scriveva Freud a Groddeck nel febbraio del 1920 a proposito dello *Scrutatore d'anime.*

Questo singolare romanzo, l'unico che Groddeck abbia scritto, era stato fino allora rifiutato da vari editori, piuttosto scandalizzati dal suo contenuto, e fu proprio Freud a farlo accogliere fra le pubblicazioni della casa ufficiale del movimento psicoanalitico, il Psychoanalytischer Verlag, e con tutti gli onori: «Dobbiamo tutti dirle grazie per il sorriso delizioso con cui, nel suo *Scrutatore d'anime,* ha rappresentato le nostre indagini sull'anima, altrimenti tanto serie».

La straordinaria idea di Groddeck, nello *Scrutatore d'anime,* è di fare dell'Es il protagonista di un romanzo. Il *romanzo psicoanalitico* annunciato nel sottotitolo diventa allora innanzitutto uno sfrenato romanzo picaresco, scosso da una inesauribile comicità e allegria, cronaca del grave sconquasso prodotto dall'irruzione dell'Es nei più vari ambienti della Germania prussiana – nelle birrerie e nelle prigioni, fra principi e truffatori, socialisti e femministe, militari e medici, donne leggere e signore *prudes*. Portatore, eroe e vittima dell'Es è qui un borghese di mezza età, scapolo e benestante, che conduce una vita quieta e lievemente ottusa fino al giorno in cui una rivelazione improvvisa lo convince ad abbandonare ogni sua idea precedente e perfino il suo nome e a gettarsi all'avventura, trasformandosi in un geniale buffone, totalmente privo di senso del pudore e della dignità, insieme regredito all'infanzia e asceso alla saggezza, pronto a diffondere ovunque una buona novella che tutti giudicano assolutamente *sconveniente*, ma da cui tutti, in qualche modo, rimangono contagiati. Il *contagio interiore* è, di fatto, il grande mezzo con cui l'Es opera nel mondo le sue mirabili trasformazioni. Ed è proprio questa la folgorante visione che ha fatto del borghese August Müller il *trickster* Thomas Weltlein. Nel corso di una snervante lotta da lui ingaggiata contro un esercito di cimici che avevano invaso la sua camera da letto, il signor Müller prende la scarlattina, delira e, una volta guarito, si accorge che la sua malattia ha sterminato le cimici, che ne sono rimaste contagiate. Scocca a questo punto la scintilla della rivelazione, August Müller diventa Thomas Weltlein e comincia a vivere una nuova vita, guidato dall'Es. Da quel momento attraverseremo con lui una galleria di personaggi disparati (che compongono fra l'altro una satira scorticante della Germania), subito coinvolti da Weltlein in conversazioni intimissime e irriverenti, e ben presto apparirà chiaro che non solo i discorsi di Weltlein espongono le teorie di Groddeck, talvolta in formulazioni 'selvagge' che solo in questo testo ha osato, ma che anche altri tratti di questo incantevole personaggio rimandano alla persona Groddeck. Mai, infatti, come attraverso il suo felice *alter ego* «scrutatore d'anime» Groddeck è riuscito a parlare senza riguardi verso il persecutorio buon senso, accettando con tranquilla ironia il ruolo del folle. E mai, soprattutto, è riuscito a comunicare con altrettanta intensità quel sentimento di esilarante liberazione che la scoperta dell'Es suscitò in lui – e dovrebbe suscitare nella vita di tutti.

1976

«VITE BREVI DI UOMINI EMINENTI» DI JOHN AUBREY

La vita di ogni persona manifesta una singolarità irriducibile, una cifra, un sapore, un profilo unici, che la storia poi si incarica o di cancellare o di attenuare e riassorbire. John Aubrey, dilettante e 'virtuoso' (nel senso seicentesco di ricercatore di ogni «curiosità della Natura e dell'Arte»), amico di Locke e di Newton, di Thomas Browne e di Hobbes, di Robert Boyle e di John Evelyn, ebbe in grado supremo la qualità appunto di saper nominare il particolare, l'aneddoto individuante e un'innata sapienza nell'evocare il tono, il gesto, la fisiologia della vita. E questo non come risultato di ponderati artifici, ma quasi come risonanza di un incessante chiacchiericcio, capricciosamente trascritto. Come in Saint-Simon, come in Proust, l'occhio e l'orecchio di Aubrey erano sempre in agguato, captavano, filtravano e utilizzavano tutto. Così, in modo irriflessivo, tumultuoso e vorace, Aubrey passò la vita ad annotare, instancabile, particolari e tratti notevoli di ciò che incontrava o gli veniva raccontato o scopriva. Una parte di questi appunti, stesi in una sorta di scrittura stenografica, che dà al suo stile una stupefacente modernità, è dedicata alle vite di uomini, per qualche ragione illustri, del passato (e vi troveremo Shakespeare ed Erasmo, accanto a nobili inglesi caduti poi nell'oblio) o suoi contemporanei (e vi troveremo quasi tutti i protagonisti intellettuali di quel secolo di genio prorompente che fu il Seicento inglese, accanto a personaggi frivoli o irrecuperabilmente dimenticati) – ed essa forma quella raccolta di *Vite brevi*, qui presentate per la prima volta in italiano nella felicissima versione di J. Rodolfo Wilcock, che hanno fatto di Aubrey quasi l'eroe fondatore di ogni possibile arte della biografia. La rapidità, la violenta e spesso involontaria comicità, l'impudenza e il taglio colloquiale del racconto, la capacità di sconcertare con la pura accumulazione di elementi imprevisti (Shakespeare come garzone di macellaio che «ogni volta che uccideva un vitello lo faceva in stile grandioso e pronunciava un discorso», Hobbes che si preoccupa di impedire alle mosche di posarsi sulla sua calvizie – e centinaia di altri) fanno sì che queste pagine, presentate da Aubrey stesso come «relitti di un naufragio» – il perpetuo naufragio del Tempo –, esercitino un fascino invincibile sul lettore di oggi, che legge queste vite come altrettanti romanzi in miniatura e al tempo stesso ha l'impressione di ascoltare una conversazione incantevole e sfrontata o di frugare fra crudi documenti di archivio. Qui il biografo diventa quasi un pettegolo negromante ovvero, come scriveva Marcel Schwob a proposito di Aubrey, «una divinità inferiore», che «sa scegliere, fra i possibili umani, quello che è unico». E Aubrey doveva ben presagirlo, se scrisse che «il riscattare queste cose dimenticate dall'oblio in certo modo somiglia all'arte di un mago, il quale fa camminare e apparire coloro che per centinaia di anni hanno giaciuto nella loro tomba, sì da ricondurre per così dire dinanzi agli occhi i luoghi, i costumi e le mode dei tempi passati».

1977

«VERSO UN'ECOLOGIA DELLA MENTE» DI GREGORY BATESON

«L'ecologia della mente» scrive Bateson in apertura di questo volume, che contiene i suoi più importanti scritti teorici, «è una scienza che ancora non esiste come *corpus* organico di teoria o conoscenza». Ma questa scienza in formazione è nondimeno essenziale. Essa sola permette di capire, ricorrendo alle stesse categorie, questioni come «la simmetria bilaterale di un animale, la disposizione strutturata delle foglie in una pianta, l'amplificazione successiva della corsa agli armamenti, le pratiche del corteggiamento, la natura del gioco, la grammatica di una frase, il mistero della evoluzione biologica e la crisi in cui oggi si trovano i rapporti tra l'uomo e l'ambiente». Non ci si lasci sviare dalla voluta paradossalità della formulazione: Bateson non è soltanto uno straordinario suscitatore di idee, ma l'autore di alcune capitali scoperte concrete. Basti pensare a quella del «doppio vincolo», che ha permesso di impostare in termini del tutto nuovi la questione della schizofrenia (influenzando in modo decisivo tutto il movimento antipsichiatrico), ed è diventata un punto di riferimento prezioso anche per gli epistemologi e i teorici della comunicazione. Ma questa pluralità dei livelli di applicazione vale in genere per le scoperte di Bateson, la cui prima caratteristica è di essere «spostabili» entro àmbiti molto distanti, accostando perciò realtà apparentemente irrelate, come varianti e manifestazioni locali di uno stesso ecosistema di idee. È uno dei presupposti di Bateson, infatti, che le idee siano in certo modo esseri viventi, soggette a una peculiare selezione naturale e a leggi economiche che regolano e limitano il loro moltiplicarsi entro certe regioni della mente. Un ta-

le approccio sembra richiedere le qualità di u-
no scienziato rigoroso, che sia familiare con
molte discipline, e quelle di una sorta di maestro Zen. Bateson, curiosamente, risponde appunto a questa descrizione. Antropologo di formazione, e autore di un libro classico, *Naven*,
sugli Iatmul della Nuova Guinea, coinvolto fin
dal 1942 nei primissimi sviluppi della ciberne-
tica, psichiatra, e come tale ispiratore di una
delle più vive scuole psichiatriche di oggi, la
«scuola di Palo Alto», autore di ricerche speri-
mentali sulla comunicazione animale, episte-
mologo, studioso dei processi di evoluzione delle culture, Bateson ha in realtà perseguito durante tutta la sua vita una «scienza della mente
e dell'ordine» verso cui il presente volume apre
la via. Quanto alle sue qualità da maestro Zen,
basterà leggere gli affascinanti «metaloghi» (origine dei *Nodi* di Laing) all'inizio di questo libro
e seguirlo mentre ci mostra «perché le cose finiscono in un disordine», per vedere come, con
i più sottili e sofisticati strumenti della logica e
dell'argomentazione, si possa arrivare a quella
«domanda dietro le domande» cui accenna lo
Zen.
Che cos'è un «gioco»? Che cos'è l'«entropia»?
Che cos'è un «sacramento»? Queste domande
venivano poste da Bateson ai partecipanti a un
corso estemporaneo tenuto all'interno di un
ospedale psichiatrico, a Palo Alto. In questo libro egli le pone, insieme con innumerevoli altre, a se stesso e ai suoi lettori e, passo per passo, guida alle risposte, che sono poi la base di
altre domande. Così arriveremo, a volte, ad al-

cuni risultati che sono acquisiti e capitali, altre
volte a ipotesi audaci in attesa di conferma. In
ogni caso, però, avremo imparato un nuovo modo di pensare e di trattare le idee.

1977

« IL RE DEL MONDO »
DI RENÉ GUÉNON

Nel 1924 apparve a Parigi un singolare libro di
Ferdinand Ossendowski, dal titolo *Bestie, uomini e dèi*. Vi si raccontava un avventuroso viaggio
nell'Asia centrale, nel corso del quale l'autore
affermava di essere venuto in contatto con un
centro iniziatico misterioso, situato in un mondo sotterraneo le cui ramificazioni si estendono
ovunque: il capo supremo di questo centro era
detto Re del Mondo.
René Guénon prese spunto da tale pubblicazione per mostrare, in questo breve e splendido libro, come, dietro alle confuse narrazioni
di Ossendowski e di altri scrittori, si profilasse-
ro dottrine e miti immemoriali, di cui si ritro-
vavano tracce dal Tibet (con la sua nozione
dell'*Agarttha*, la terra 'inviolabile') alla tradizione ebraica (con la figura di Melchisedec e della città di Salem), e così anche nei più antichi
testi sanscriti, nel simbolismo del Graal, nelle
leggende sull'Atlantide e in tanti altri miti e
immagini. A mano a mano che si svelano questi rapporti, siamo còlti come da una vertigine:
con pochi e sobri gesti Guénon riesce a mette-

90

re in contatto tali e così diverse cose che alla fine ci troviamo dinanzi a una sterminata prospettiva, che traversa tutta la storia fino a oggi, dalle origini inattingibili della Tule iperborea fino all'occultamento del centro iniziatico nella nostra 'età nera', il *Kali-Yuga*. In poche pagine, e tutto per immagini, Guénon disegna così la linea della trasmissione della Tradizione primordiale, sicché questo libro potrà valere per molti come introduzione al pensiero di un maestro solitario e indispensabile del nostro tempo.

1977

« DISSIPATIO H.G. »
DI GUIDO MORSELLI

Ultimo romanzo di Morselli, di pochi mesi precedente la sua tragica scomparsa, *Dissipatio H.G.* (dove *H.G.* sta per *Humani Generis*) è anche il suo libro più personale e segreto, l'unico dove questo maestro del mimetismo ha scelto di porsi direttamente sulla scena. E lo ha fatto in modo così illuminante ed emblematico da far pensare a una confessione che valga da consapevole gesto di congedo.

Il protagonista di *Dissipatio H.G.*, uomo lucidissimo, ironico, ipocondriaco, e soprattutto 'fobantropo', attirato da un feroce solipsismo, decide di annegarsi in uno strano laghetto in fondo a una caverna, in montagna. Ma all'ultimo momento cambia idea e torna indietro. Il genere umano, proprio in quel breve intervallo, è scomparso, volatilizzato. Per il resto, tutto è rimasto intatto. Così, paradossalmente, l'umanità è ora rappresentata da un singolo che era sul punto di abbandonarla e che, comunque, non si sente adatto a rappresentare alcunché; neppure, a tratti, se stesso. Comincia allora un appassionante monologo, sullo sfondo della solitudine assoluta e di un silenzio rotto soltanto da qualche voce di animale o dal ronzio di macchine che continuano a funzionare. Ed è un monologo che presto si trasforma in un dialogo con tutti i morti, tenuto da un unico vivo che a momenti pensa di essere anch'egli morto. Riaffiorano spezzoni di ricordi, particolari sepolti riemergono come decisivi e, mentre i pensieri si affollano, l'anonimo protagonista cerca dappertutto un qualche altro sopravvissuto, vaga fra luoghi odiati e amati, fra le sue montagne e Crisopoli (chiaramente Zurigo). Tutto è uguale, eppure tutto è per sempre trasformato. Il mondo è ora popolato soltanto da «oggetti vicini e irraggiungibili, noti e irriconoscibili, sfigurati». Ma non è certo un mondo innaturale: anzi il sopravvissuto è spesso sfiorato dal sospetto che proprio in questa forma di sterminato magazzino e indifferente sepolcro esso raggiunga, in certo modo, la sua verità. Rimane, comunque, il gigantesco interrogativo sul destino degli scomparsi. Che l'umanità sia stata «angelicata in massa»? O si tratti di una inaudita migrazione turistica collettiva? O di una silenziosa apocalisse? E l'unico sopravvissuto è un prescelto o, proprio lui, il condannato?

Morselli ci fa attraversare con mirabile sottigliezza tutte le reazioni del sopravvissuto, che vanno
da una sinistra ironia e, quasi, euforia, alla «su-
perbia solipsistica», finché a poco a poco si fa
strada in lui un'angoscia senza confini. E, mentre il delirio lievemente corrompe ogni residua
certezza, il protagonista si abbandona a cercare le improbabili tracce di un amico dimenticato, unico ricordo di rapporto reale che gli re-
sti della sua vita precedente. C'è qualcosa di disperato e, insieme, di sereno in queste pagine,
fra le più belle di tutto Morselli – e certo le so-
le in cui accetti di far trasparire la sua dura pena personale. E c'è, alla fine, una grande immagine in cui convivono, pacificati, tutto e il contrario di tutto: nelle strade deserte di Crisopoli-
Zurigo, coperte ormai da uno strato leggero di
terriccio, crescono piantine selvatiche. Nel Mercato dei Mercati spuntano, ignari, i ranuncoli e
la cicoria. E l'ultimo uomo, che già era stato del
tutto solitario fra gli uomini, siede e aspetta.

1977

«LA MILLEDUESIMA NOTTE»
DI JOSEPH ROTH

Nella primavera dell'anno 18... lo Scià di Persia,
malato di malinconia e vago desiderio, compie
un rapido viaggio di piacere a Vienna. Si inca-
priccia, a un ballo, di una bellissima nobile; e i
servizievoli funzionari della polizia austriaca
provvedono a offrirgliela per una notte. Ma scel-

gono accortamente una controfigura, una giovane donna leggera, che somiglia alla dama del ballo. Lo Scià non si accorge dell'inganno. Tornerà in Persia convinto della sublime raffinatezza dell'arte di amare in Occidente.

A partire da questa breve avventura segreta, che potrebbe rimanere sepolta nella memoria dei pochi che ne sono partecipi, si svolge una ragnatela di destini, un perfetto e mortale ricamo, un racconto in cui Joseph Roth, stremato e lucidissimo – questo libro comparve nel 1939, poco dopo la sua morte –, riconduce delicatamente il romanzo alla favola. Ma, e questo è il prodigio della sua arte, senza sovrapporre alla torbida e quotidiana materia romanzesca nulla, appunto, di favoloso: luoghi, fatti e persone appartengono qui, ancora una volta, e inconfondibilmente, alla sua amata Vienna: eppure un nuovo tono, una diversa, quasi impercettibile scansione sembrano animare la vicenda, fissando ogni particolare in quella peculiare ineluttabilità che solo la favola sa dare. Giunto a una maturità chiaroveggente e disperata, il narratore Roth prende qui un'ulteriore distanza dalla storia che narra.

Invano cercheremmo in queste pagine quei personaggi mediatamente autobiografici che in altri suoi romanzi erano circondati dall'alone della sensibilità di Roth stesso. Ora l'autore torna a essere la pura voce senza nome della favola, con precisione spietata muove i suoi personaggi in una partita a scacchi di cui essi non sono consci e che segnerà, per tutti, la rovina. L'ufficiale Taittinger, futile ed elegante, che ha passato la vita scostando da sé come 'noioso' tutto ciò che poteva obbligarlo a pensare; la bella Mizzi Schinagl, che ha avuto la ventura di una notte d'amore con lo Scià e tante altre vicende di cortigiana; un funzionario della polizia; uno squallido giornalista; un'avida ruffiana; comparse di militari, burocrati, fanciulle, e lo Scià e l'Imperatore: tutti questi esseri sono pezzi in un gioco che sembra all'inizio sconnesso e casuale, ma diventa poi sempre più serrato e distruttore – e il movimento del tutto è come quello di un lunghissimo nodo scorsoio che si stringe lentamente, senza arrestarsi mai, per tutta la durata del romanzo: a indicare anche, con abbagliante chiarezza, il nesso indissolubile fra il raccontare e la morte.

Mai come in questa finta commedia che finisce nella totale desolazione i particolari del racconto di Roth incantano e catturano, quasi senza ragione e per se stessi, come bastasse che siano nominati da questo camuffato narratore orientale. Ma, avvicinandosi alla fine, l'insieme si illumina nella sua necessità, in una luce che lascia sgomenti: «tutto ciò che era nascosto sarà rivelato»: se, per una catena di casi, l'avventura segreta dello Scià finirà per diventare un fatto pubblico e sarà addirittura portata sulla scena in un baraccone di luna-park, dopo aver condannato a morte l'ignaro ufficiale Taittinger, che l'aveva messa in moto, è perché ogni minimo fatto della vita, ogni occasionale inciampo contiene una potenzialità infinita di conseguenze. E la favola, sembra dirci Roth, è solo uno squarcio di luce gettato su un minuscolo ritaglio di questa rete che tutti ci avvolge nell'inganno dell'apparenza. Alla fine, rimarrà intatta solo una collana di perle intorno a cui tutta la storia aveva occultamente ruotato.

1977

«I FRATELLI TANNER»
DI ROBERT WALSER

«Corre dappertutto, felice sino alla punta dei capelli, e alla fine non diventa nulla, se non una gioia del lettore». Così Simon, protagonista dei *Fratelli Tanner*, viene descritto da Kafka, che ne fu uno dei primissimi e più entusiastici lettori. Simon ci appare, all'inizio, come un ultimo discendente della nobile stirpe dei «fannulloni» che, da Eichendorff in poi, hanno traversato la letteratura accompagnati dal soffio corrosivo dell'ironia romantica: cerca, trova e abbandona i lavori più vari (ma sempre anonimi e subalterni) con irresponsabile disinvoltura, si lancia in lunghe passeggiate, fantastica, si guarda intorno per le strade, scrive grandi lettere, attacca discorso, incrocia senza mai arrestarsi i suoi fratelli e tanti sconosciuti, dell'esistenza dei quali, proprio perché a nulla, o forse al Nulla, appartiene, riesce per un poco a partecipare così intimamente come neppure loro stessi saprebbero. Ma quando lo troviamo che scrive indirizzi in una copisteria per disoccupati, circondato da una schiera di rifiuti della società, riconosciamo in lui uno di quei diseredati su cui Dostoevskij fu il primo romanziere a fissare ossessivamente lo sguardo. Eppure non c'è in Simon neppure una punta del risentimento dell'«uomo del sottosuolo». Questo «disoccupato straccione» è un imprendibile spirito dell'aria, che prova meraviglia ogni mattina per l'esistenza del mondo, anzi ritiene che «si troverebbe tutto meraviglioso se si fosse capaci di sentire tutto, perché non può essere che una cosa sia meravigliosa e l'altra no».

La sua gioia è nel sentirsi «debitore» anche se non ha nulla e nulla gli viene dato. Ma proprio questo sconcertante modo di essere carica di una straordinaria intensità le sue esperienze. E quando dirà: «La lotta della povera gente per un po' di pace, intendo la cosiddetta questione operaia», sapremo che, di là dalla loro mirabile ironia, queste parole sono fra le più dure e inappellabili che mai siano state dette *contro* la società. Come, all'inverso, dai discorsi della maga-direttrice di una «casa di cura per il popolo», che è insieme un luogo di ritrovo e un'immagine dell'utopia, ci renderemo conto che il titolo *I fratelli Tanner* non ci introduce solo, come sembrerebbe, a un «romanzo familiare», ma a una parola di cui forse credevamo di aver smarrito il significato, per l'inadeguatezza di chi la propugna e di chi la evita: *fraternità*.

Pubblicato nel 1907, questo primo romanzo di Walser raccoglie, come una lunga *ouverture*, abbandonata e felice, tutti i temi dell'opera del grande scrittore svizzero (di cui prefigura in un episodio, con cinquant'anni di anticipo, la morte in una solitaria passeggiata nella neve). La più bella definizione della sua forma rapsodica, toccata da un'impalpabile grazia, è nelle parole del poeta Morgenstern, che fra l'altro aiutò Walser a «ripulire» il manoscritto dei *Fratelli Tanner*: «Questo romanzo ha un qualcosa di sonnambolico, come, per così dire, si fosse scritto da sé. Per svariate ragioni, è per me una pura meraviglia, e se qui appare un genio spesso ancora immaturo e selvatico, tuttavia è un genio, cioè quel caso eccezionale e ogni volta incredibile di un uomo attraverso il quale la vita sembra scorrere come da una brocca gorgogliante».

1977

«TUTTI I RACCONTI»
DI KATHERINE MANSFIELD

Agli inizi del secolo una giovanissima neozelandese, Katherine Mansfield, ancora un po' sperduta in Inghilterra, e provvista solo di «quel tragico ottimismo che troppo spesso è l'unica ricchezza della gioventù», cominciò a scrivere storie comuni di donne (e di uomini) comuni – continuando febbrilmente sino alla morte, che l'avrebbe raggiunta, trentaquattrenne, nel 1923. Letti con l'occhio di oggi, i racconti della Mansfield ci appaiono come una di quelle grandi e inesauribili scoperte che in pochi anni mutarono la fisionomia della letteratura: come il primo Joyce, i romanzi di D.H. Lawrence, la scrittura della Woolf – tre scrittori con cui la Mansfield fu in rapporto, oscillando fra l'ammirazione e l'ostilità. Condivideva con loro la testarda volontà di porre un'esigenza assoluta alla letteratura, ma ancor più di loro la Mansfield era esposta alle correnti infide, alle maligne unghiate della vita, che continuava ad apparirle «sotto le spoglie di una cenciaiola da film americano». E forse proprio per questo la Mansfield ha saputo far parlare nei suoi racconti, più di ogni altro scrittore moderno, la *precarietà*: come spasimo, fitta, angoscia fulminea, e insieme come meraviglia, ingiustificata estasi, pura percezione. La psicologia qui non ha bisogno di essere dichiarata, ma è assorbita nell'immagine guizzante, nella pulsazione dell'attimo. E la felicità improvvisa, come l'infelicità sorda, sparse in ogni momento e in ogni vita, rare volte ci sono venute incontro con tale intensità, eppure *sottovoce*, come in queste pagine della Mansfield, «grande abbastanza da dire quello che tutti sentiamo e non diciamo».

1978

«HOLLYWOOD BABILONIA»
DI KENNETH ANGER

In questo libro, che Susan Sontag ha definito «leggendario come ciò di cui parla», Kenneth Anger si è rivelato il primo adeguato *chroniqueur*, il più felice e amaro favolista del mondo di Hollywood. Con tocco sicuro, da grande maniaco del cinema, Anger ci fa constatare come gli scandali, i pettegolezzi, i suicidi, gli amori, le morti sospette, le perversità, i trionfi, i delitti e gli imbrogli avessero un altro colore a Hollywood: quei fatti sordidi e scintillanti andavano infatti subito a disporsi tra le vaste costellazioni dello star system, le loro oscurità nutrivano la luce irreale dello schermo. «Più stelle che in cielo» era un motto della Metro Goldwyn Mayer. Oggi, dopo decenni in cui lo star system è stato additato come macchina di depravazione commerciale e di svendita dell'arte al dollaro, cominciamo finalmente a intenderlo alla lettera: sistema di miti, orbite di astri, varianti e ripetizioni inesauribili di Storie e Figure Esemplari. In fondo, l'unico grande sistema mitologico che il nostro tempo abbia saputo offrirci. E, guidati da Kenneth Anger, qui ci avviciniamo al mito di Hollywood con lo spirito che gli è più congeniale: quello di Laforgue, dove la devozione si congiunge al sarcasmo e la parodia non si pone alla fine dei tempi ma alla loro origine. La Babilonia di gesso che Griffith fece costruire nel 1915 per accogliervi centinaia di comparse, e poco tempo dopo era un cimitero di relitti e di erbacce, è il *luogo perenne* del cinema, e da questo punto – soglia dell'Epoca dei Dubbi Splendori, quando Hollywood appariva a un osservatore attendibile come Aleister Crowley abitata da «una banda di maniaci sessuali pazzi di droga» – giustamente muove il racconto di Anger. Fatty e Hearst, Chaplin e Valentino, von Stroheim e Mae West, Errol Flynn e Marlene Dietrich, Lupe Velez e Robert Mitchum, Lana Turner e Judy Garland, e tanti nomi ormai sepolti, sfilano tutti davanti a noi, fra episodi atroci e dettagli oltraggiosi, in immagini della loro vita intima che si mescoleranno per sempre a quelle delle loro opere.

Perché è appunto una caratteristica del sistema di Hollywood quella di essere onnivoro: *tutto* ciò che riguarda i suoi personaggi gli appartiene, *tutto* fa parte della sua scena, le gonnelline di Shirley Temple come l'epidemia di suicidi con il Seconal. Alla fine, si ha addirittura il sospetto che le ragioni commerciali stesse siano il pretesto per una grandiosa e involontaria applicazione dell'*art pour l'art*. Così, anche *Hollywood Babilonia* fa parte del cinema di Hollywood: al termine di queste pagine, dove il testo vive dentro le immagini e le immagini dentro il testo, dove nessun particolare è superfluo e tutti hanno un loro cupo smalto, come in un von Stroheim di ambiente californiano, potremo dire di aver visto il cinema raccontare se stesso in un grande *film nero*.

1979

« IL MITO DELL'ANALISI »
DI JAMES HILLMAN

Si può dire che questo libro segni il più importante sviluppo della psicologia analitica dopo la morte di Jung. James Hillman ha qui messo in questione l'analisi stessa con una radicalità e una consequenzialità che sconvolgono e scalzano ogni possibile *routine* delle varie scolastiche (junghiane non meno che freudiane). Dopo

che per decenni l'analisi ha preteso di seziona-
re il mito, qui per la prima volta ci si chiede:
qual è il mito che sta dietro all'analisi e la de-
termina nel profondo? La risposta sarà asciutta
e dura: quel mito è un mito di dominio (e im-
plicitamente di persecuzione), che risale ad A-
pollo e alla sua terribile ambiguità di guarito-
re/distruttore. Quel mito, non a caso, è l'unico
che l'analisi ha sempre 'dimenticato' di analiz-
zare. E da esso non discende soltanto tutta la
pratica clinica positivistica (da cui è germoglia-
ta, fra l'altro, la psicoanalisi), ma anche tutta
una strategia offensiva che la nostra civiltà ha
usato in vari àmbiti. Da esso discende quel processo che ha spinto tutto l'Occidente a degra-
dare, in fasi successive, l'immaginazione, l'anima e il femminile, a farne le tre potenze oscure che bisogna innanzitutto ingabbiare. E qui
Hillman ci ha dato una magistrale dimostrazione storica, ripercorrendo la formazione del linguaggio della patologia, che ha voracemente
inghiottito nella 'malattia' aree immense della
vita, e le vicende del mito della inferiorità femminile. Su quest'ultimo tema, sul quale valan-
ghe di scritti si sono ammassate in questi ultimi
anni, si direbbe non esista nulla di altrettanto
acuto e sostanzioso del saggio di Hillman che
forma la Terza parte di questo libro.
Ma, una volta individuati i crudeli segreti che
presuppone la pratica dell'analisi, quali vie si a-
prono (se si aprono)? Per sfuggire alla vendetta
di Apollo, dice Hillman, non rimane che affrontare il problema freudiano del «termine dell'a-
nalisi» nella prospettiva addirittura di *una fine*

dell'analisi stessa. Riprendendo una splendida immagine di Keats, che parla del mondo come della «valle del Fare Anima», Hillman riconduce tutto ciò che possiamo salvare dell'analisi a questa oscura attività di autoelaborazione dell'anima, di trasformazione alchemica del vissuto. Cadranno ovviamente, a questo punto, tutte le inconsistenti pretese 'scientifiche', che già Jung usava soprattutto per non spaventare troppo i benpensanti. Rimarrà, invece, in tutta la sua potenza, il contatto con le grandi immagini, quell'itinerario fra gli archetipi che Jung aveva delineato e Corbin aveva indicato come via *dell'immaginale* e *all'immaginale*. Ma questa volta non ci farà da guida l'accecante luce apollinea, anzi qui sarà essenziale, come in una prova delle favole, «spodestare l''analista interno', che ha una poltrona nella nostra mente», per avviare quella «trasformazione della psiche in vita» che sfugga finalmente alla «maledizione dello spirito analitico».

1979

«LA CASA DELLA VITA»
DI MARIO PRAZ

La casa di Mario Praz è una delle rarissime meraviglie che siano apparse nella Roma moderna. E questo libro è la storia di come quella casa, con tutti i suoi memorabili oggetti, sia concresciuta alla vita del suo abitatore, intrecciandovisi in modo inestricabile: sì che soltanto attraverso i suoi oggetti questo grande critico, che ha sempre amato la luce riflessa degli specchi e perciò ha saputo percepire con magistrale acutezza il rifrangersi dei gusti e degli echi nella letteratura e nell'arte, è riuscito a raccontare la sua vita. Il luogo è Palazzo Ricci, nella gloriosa Via Giulia. Quando Praz vi venne ad abitare, nel 1934, la strada si apriva «come un corridoio fra quelle stanze che erano i cortili dei suoi palazzi» – o anche «come un crepaccio» dove «la nebbia del passato si sia indugiata stagnando». Da quelle sacche di nebbia il giovane professore cominciò a evocare, con amorosa lentezza, fra le nude e severe pareti rinascimentali, la sua «casa della vita»: e via via le stanze si riempivano di oggetti che Praz scopriva di amare, per una sorta di predestinazione del gusto in cui si manifestava una valutazione critica in anticipo sui tempi, che forse solo oggi siamo in grado di apprezzare nella sua composita coerenza. Innanzitutto i mobili Impero, allora quasi spregiati, che avrebbero dato alla casa il suo timbro inconfondibile. E poi innumerevoli oggetti, spesso trascurati dalle pompose storie dell'arte: cere, ventagli, quadri d'interni, *conversation pieces*. Col passare degli anni, si veniva così formando una sorta di «museo vivo» che è oggi unico al mondo non solo per la qualità dei «pezzi», ma perché costituisce un luogo dove permane inalterata l'invisibile patina del feticcio. Praz ce lo racconta in queste pagine facendoci passare di stanza in stanza, e il suo tono è quello di un'amabile guida, prodigiosamente e-

rudita, che sia anche però un saggista e memo-
rialista della specie più felice: quella di Lamb,
di De Quincey, di Pater. Come certi esseri de-
scritti dal suo amato Lamb, anche Praz è una di
quelle persone «che posseggono facoltà piuttosto suggestive che comprensive, che si con-
tentano di frammenti e di ritagli di Verità». Le
Verità di Praz sono innanzitutto negli oggetti –
e da essi stingono sulle persone. Invertendo così il cammino usuale, Praz è riuscito a darci in
queste pagine alcuni memorabili ritratti (per
esempio in certe figure femminili), infine ha
dipinto egli stesso alcune deliziose, e spesso i-
roniche, *conversation pieces*, dove riconosciamo
illustri scrittori e personaggi della cultura europea del Novecento. E tutto questo proprio
perché ha evitato la via della memoria lineare e
diretta, ma ha voluto che i volti delle figure (e
anche il suo) affiorassero dalle «acque intorbi-
date» di un «antico specchio», nel corso di una
visita ai disparati tesori della «casa della vita».
Così, alla fine, il lettore si aggirerà davvero in
queste stanze come in una foresta incantata, che
un potente artificio tiene divisa dalla vita immediata, ma appunto per catturare la vita segreta
delle immagini riflesse, secondo le intenzioni
del sapiente mago che la abita, come Praz stesso ci ha accennato in poche, splendide parole:
«M'incantano gli specchi e le immagini riflesse
negli specchi che son già allontanate un po'
dalla vita, già rese quadro, grazie a quella gelida ecloga di cristallo che le separa come la pa-
rete trasparente d'un acquario separa dalla vita

ordinaria quel mondo di silenziose creature dalle magnifiche assise che si muovono come apparizioni tra rocce, muschi, madrepore e minute costellazioni di bollicine d'aria».

1979

« GINSENG »
DI MICHAIL PRIŠVIN

Il ginseng, «radice di vita», è una pianta a cui dall'antichità si attribuiscono grandi poteri magici. Verso di essa, senza saperlo, muove l'avventura di un giovane chimico russo che, durante la guerra russo-giapponese del 1904, abbandona il fronte, valica la frontiera con la Cina e, d'improvviso, si trova in quello che subito gli appare un paradiso, tra «fiori rossi grandi come falò, farfalle come uccelli», valli dalle erbe altissime. A iniziarlo alla ricerca del ginseng è un vecchio cinese coperto di rughe, infantile e sereno, che abita in una capanna sulla Montagna di Nebbia. Nella sontuosa e intatta tajgà che tutt'intorno si stende, il disertore, ora diventato solitario cacciatore, si accorge presto di aver trovato la sua terra d'origine, che è «quella in cui ti sei imbattuto nella felicità». Vivere in quella terra produce, in chi vi si riconosce, trasformazioni profonde, incontrollabili. Il giovane abbassa la canna del suo fucile, si innamora perdutamente di Chua-lu, la stupenda «cerva-fiore» che un giorno gli si para davanti, si lascia abbandonare da una donna in cui la «cerva-fiore» si è trasformata. E intanto, nella foresta, il suo ginseng «cresce-cresce», come dice il vecchio cinese, che sa curare uomini e bestie, ha il dono di «rendere vitale tutto ciò che c'è al mondo» e si rivela essere «il più tenero, il più attento e – oso dire – il più civile dei padri». Un legame sottile come i filamenti del ginseng unisce in questo libro la ricerca della «radice di vita», l'amore incantato fra il narratore-protagonista e la «cerva-fiore», i maestosi duelli fra i cervi che la corteggiano, l'astuta e insieme amorevole cattura dei cervi, il parlottio delle acque sotterranee e il progressivo «liquefarsi» dei confini fra le rocce, le piante, gli animali e gli esseri umani. «Trovare il proprio Ginseng» e insieme dominare la Montagna di Nebbia, per un'abitudine che il giovane chimico si porta dietro dalla nostra civiltà: queste due spinte, oscure e opposte, si intrecciano qui in una favola che solo uno scrittore dalla mano perfettamente innocente avrebbe potuto raccontarci.

Pensiamo a Hesse e a Hamsun leggendo queste pagine, ma soprattutto pensiamo al protagonista del libro. Prišvin doveva somigliargli: anche lui aveva abbandonato molto presto il mondo civilizzato per cercare nella tajgà mancese «quella esistenza dove nasce la poesia, dove non c'è differenza sostanziale fra l'uomo e la belva». I suoi primi libri si intitolavano *La caccia alla felicità* e *Nel paese degli uccelli non spaventati* (1906), che potrebbero essere i luminosi sottotitoli di *Ginseng*. Nato nel 1873, la sua giovinezza era stata «quella comune di un intellettuale: rivo-

luzionaria» (ma il primo libro era di agrono-
mia: *La patata nei campi e negli orti*). Quando
venne la Rivoluzione del 1917, si tenne in di-
sparte – e rimase al margine della vita letteraria
russa sino alla morte, avvenuta nel 1954. *Ginseng*
fu pubblicato nel 1933. Di questo libro dalla
perfetta misura Prišvin scriveva: «La mia anima
si rifletteva nella natura a me ignota o, all'inverso, la natura ignota si rifletteva nella mia a-
nima. Ho descritto questo reciproco riflettersi».
In ognuna di queste pagine sentiamo il «fruscio
della vita», simile al fruscio delle farfalle nottur-
ne che accorrevano a frotte intorno al fuoco del
vecchio cinese, sulla Montagna di Nebbia.

1979

«IL GIORNO DEL GIUDIZIO»
DI SALVATORE SATTA

In Sardegna, in quest'isola di «demoniaca tristezza», una città che è un «nido di corvi», Nuoro, abitata da gente che «sembra il corpo di
guardia di un castello malfamato». E in questo
paese «che non ha motivo di esistere», una
vecchia famiglia, i Sanna Carboni, di notai agia-
ti, rappresentanti di un'autorità che appartiene,
in tutti i sensi, a un altro mondo. *Il giorno del
giudizio* segue la storia di questa famiglia tra la
fine del secolo scorso e i primi decenni del nostro: e, insieme a essa, di tutto il paese di Nuoro, dai notabili alle «donne ricche e pallide che
sognavano e intristivano nella clausura», dai pa-

stori ai banditi, agli oziosi del Corso, ai preti, ai vagabondi, alle prostitute. E, se pure le vicende dei Sanna formano la spina dorsale del libro, i personaggi si mescolano tutti in un groviglio inestricabile. Il loro vero 'luogo comune' è in realtà la morte, il camposanto di Nuoro «dominato dalla rupe, che sembrava una parca». Più che una nuova saga familiare, con quel certo andamento pletorico e in fondo prevedibile che appartiene al genere, questo libro potrebbe essere definito un romanzo metafisico. Qui i vivi e i morti, la Legge e le donne, gli innocenti e i criminali sono come spinti da un turbine rapinoso a presentarsi alla memoria di chi li racconta, sono fantasmi che perseguitano lo scrittore, che poi è uno dei loro e inavvertitamente racconta se stesso come fantasma. Tutti gli si avvicinano «scongiurandolo di liberarli dalla loro vita». Ma, perché ciò avvenga, bisogna che il grande fiume del vivere si arresti in quell'«atto antiumano, inumano» che è il giudizio, come Satta lo definiva in un suo saggio giuridico: «un atto veramente – se lo si considera, bene inteso, nella sua essenza – che non ha scopo». Ma «di quest'atto senza scopo gli uomini hanno intuito la natura divina, e gli hanno dato in balìa tutta la loro esistenza». Per la Nuoro di Satta, che ignora la Storia, «la vera e la sola storia è il giorno del giudizio», così come l'unico peccato, per il codice oscuro e implacabile del luogo, è «il peccato di essere vivi». Dietro la prosa scarna, dietro le storie asciutte e feroci, dietro la concretezza durissima dei fatti, sentiamo in queste pagine una continua febbre visionaria. Sospeso nel momento innaturale e veggente del giudizio, un intero mondo parla qui per la prima volta e si inabissa: ogni sua traccia ha in queste pagine un'intensità violenta, dolorosa e, a tratti, di disperata dolcezza. Alla fine sentiamo che davvero «il sogno galoppava in quelle brulle lande».

1979

«L'UNICO E LA SUA PROPRIETÀ» DI MAX STIRNER

La censura prussiana giudicò questo libro «troppo assurdo per essere pericoloso». Marx e Engels, invece, lo considerarono sufficientemente pericoloso per dedicargli più di trecento pagine persecutorie della *Ideologia tedesca*. Nietzsche non lo nominò mai, ma confessò a un'amica di temere che un giorno lo avrebbero accusato di aver plagiato Stirner. Da più di un secolo le storie della filosofia lo definiscono «famigerato». In breve: *L'unico* è l'opera più scandalosa e inaccettabile della filosofia moderna.

Quando apparve, a Berlino, nel 1844, suscitò per alcuni mesi reazioni febbrili e appassionate, soprattutto nell'ambiente del radicalismo di sinistra, da cui nasceva, fra quei discendenti di Hegel che si apprestavano a diventare sovvertitori dell'ordine. Poi seguì un lungo silenzio. Infine una riscoperta vorace, negli ultimi anni dell'Ottocento, quando Stirner apparve da una parte come precursore di Nietzsche e dall'altra come profeta dell'anarchismo individualista. Ma anche se Stirner ha avuto una grande influenza sotterranea, che ha agito sui personaggi più disparati, da Dostoevskij a Traven, il mondo della cultura ufficiale lo ha sempre evitato. Non era chiaro se Stirner fosse da considerare un filosofo, un pazzo o un criminale. Ma nell'*Unico* queste voci parlano insieme, e questa irrevocabile, beffarda confusione dei soggetti e dei livelli è la prima peculiarità del libro.

L'*Unico* sviluppa 'sino alle estreme conseguenze' quella «critica» corrosiva che era stata, da Kant in poi, la parola magica della filosofia; articola un sistema paranoico; fonda le ragioni del delitto. Commistione che non è un capriccio di Stirner, ma rivela, finalmente senza coperture eufemistiche, un processo operante in tutto il pensiero moderno. Con le sue argomentazioni stridule, martellanti, ossessive, Stirner fa ruotare vorticosamente la macchina della metafisica: ne risulta una grandiosa parodia, preludio alla mutezza dell'«indicibile» *unico*. Ma l'attacco al pensiero discorsivo va insieme, per Stirner, a un micidiale attacco al «sussistente», alla società che lo circonda.

Provocatore e vagabondo della metafisica, Stirner osò vedere il mondo della secolarizzazione trionfante, che è anche il nostro, come un mondo profondamente bigotto. Il *sacro*, scacciato dai templi, si vendica caricando le più laiche categorie di una violenza devastatrice. La Società, l'Uomo, l'Umanità giustificano ora ogni tortura sul singolo che non si adegui al modello 'giusto'. E il sarcasmo stirneriano, che oppone l'e-

111

goista singolo, marchiato come «mostro inumano», al santo egoismo della Società, trafigge anche le società 'giuste', promesse dai miglioratori dell'umanità (siano essi reazionari, progressisti, liberali o socialisti), con frecce che appaiono ancora oggi perfettamente appuntite. (Anzi, spesso si ha l'impressione che colpiscano fatti accaduti nel nostro secolo). Che la sua critica sfoci poi in un nominalismo assoluto, e manifestamente insostenibile, non sembra preoccupare Stirner. In certo modo è ciò che voleva: tutto l'*Unico* è un solo, immane paradosso su cui il pensiero continua a inciampare.

1979

« IL PURO E L'IMPURO »
DI COLETTE

Una fumeria d'oppio parigina, col suo clima di «spaventosa pace dei sensi», fa da soglia a «questo libro che, tristemente, parlerà del piacere». E, come morbide allucinazioni, da quel luogo sembrano emanare, inanellate in volute di fumo, storie e figure: una generosa simulatrice erotica, «esperta di inganni e di delicatezze», un don Giovanni commovente e sinistro, vittima austera della sua Causa, la Gomorra parigina dei primi anni del Novecento, punteggiata da personaggi leggendari come Nathalie Clifford Barney, Renée Vivien, la marchesa de Morny, e di fronte ad essa l'«intatta, immensa, eterna Sodoma», confidenze lancinanti, tradimenti e seduzioni, patrimoni e onorabilità dissipati per giovani delinquenti, riti neri della gelosia, commedie e cannibalismi dell'eros, apparizioni dell'androgino. Con andamento sinuoso, fra mezze luci e improvvisi barbagli, Colette ci avvicina a tante storie intrecciate, che poi si dissolvono come echi di conversazioni remote, dove le verità affiorano senza volerlo. Qui tutti i personaggi sono abitatori di un solo reame, e Colette vi si muove da sovrana, da erudita, da eroina e da vittima: il reame oscuro e sfuggente del piacere – anzi di «quei piaceri che chiamiamo, alla leggera, fisici», come suona l'epigrafe che si leggeva sulla copertina della prima edizione. Con queste pagine, Colette ha voluto «versare il suo contributo al tesoro della conoscenza dei sensi», un gesto che qui compie con atteggiamento di devoto e un po' timoroso rispetto. «Quei piaceri», infatti, sono esseri pericolosi, ingannatori, sopraffacenti, vendicativi. Colette lo sapeva come pochi altri, lei che era riuscita con tale sicurezza a confutare la troppo nota sentenza secondo cui 'o si vive o si scrive' – e di fatto aveva sempre scritto molto e vissuto moltissimo, sottoponendo la scrittura al filtro severo della fisiologia. Per lei, i «sensi» sono innanzitutto un goffo eufemismo per designare «l'Inesorabile», un «fascio di forze» che si annida dentro una «scogliera sorda e incomprensibile, il corpo umano». E questo libro è tutto un vagabondaggio intorno a quella «scogliera», fra le zone più calpestate e più ignorate dell'eros, un percorso tortuoso, scandito da una prosa che oscilla con magistrale precisione fra le torture e le delizie.

Quando *Il puro e l'impuro* apparve, nel 1932, col titolo *Quei piaceri...*, poi abbandonato, la reazione fu soprattutto di scandalo e di indignazione. Ma Colette scriveva: «Un giorno forse si riconoscerà che era il mio libro migliore». Il tempo le ha dato ragione: oggi troviamo in queste pagine, nella sua perfetta maturità, quella Colette dall'artiglio affilato di cui parlava Cocteau: «Non ripuliremo mai abbastanza Madame Colette di quella falsa graziosità in cui la leggenda continua ad avvolgerla... Non prendetela per una cara vecchia signora. La sua zampa di velluto poteva mostrare fulmineamente i suoi artigli».

1980

«LA VIOLENZA E IL SACRO»
DI RENÉ GIRARD

«È criminale uccidere la vittima perché essa è sacra ... ma la vittima non sarebbe sacra se non la si uccidesse». Questo terribile, paralizzante circolo vizioso si incontra subito, quando si esamina la realtà del sacrificio. Di fronte a esso l'*ambivalenza* tanto frequentemente evocata dal pensiero moderno ha l'aria di un pio eufemismo, che malamente cela il segreto non già di una pratica estinta, ma di un fenomeno che ossessiona il nostro mondo: *la violenza* – e il suo oscuro, inscindibile legame con il *sacro*. Nesso tanto più stretto proprio là dove, come nella società attuale, si pretende di conoscere il sacro soltanto attraverso i libri di etnologia: del sacro si può dire infatti, osserva Girard, che esso è innanzitutto «ciò che domina l'uomo tanto più agevolmente quanto più l'uomo si crede capace di dominarlo».

Che cosa lega, che cosa tiene insieme una società? Il «linciaggio fondatore», l'ombra del capro espiatorio, risponde Girard – e la brutalità della risposta è proporzionale alla lucidità, alla sottigliezza, all'acutezza delle analisi che a tale conclusione portano. Si tratti della tragedia greca o di riti polinesiani, di Frazer o di Freud, di fenomeni del nostro mondo o di grandi figure romanzesche, sempre Girard riesce a mostrarceli nella luce di quell'evento primordiale, sempre taciuto, sempre ripetuto, in cui la società trova la sua origine, rinchiudendosi nel circolo vizioso fra *sacro* e *violenza*.

In questo libro, che apparve in Francia nel 1972, molti ormai hanno riconosciuto il fondamento di un'opera di pensiero fra le più rilevanti del nostro tempo. Con gesto drastico, Girard è sfuggito a quelle disparate neutralizzazioni del 'religioso' a cui l'antropologia, da decenni, ci ha abituato – anzi ha individuato in questo delicato *escamotage* scientista «una espulsione e consumazione rituale del religioso stesso, trattato come *capro espiatorio* di ogni pensiero umano». Il *mana*, il *sacrum*, il *pharmakon*, queste parole dal potere contagioso, cariche di ambiguità e di significati contraddittori, tornano qui al centro della riflessione, come sono di fatto al centro della vita. Ma, proprio perché, come ha osservato

115

Girard, «la semplicità e la chiarezza non sono di moda», e proprio perché tali parole sono per eccellenza complesse e oscure, l'indagine che qui viene proposta ha un'evidenza, una nettezza, una precisione che si impongono sin dalle prime righe. E alla fine ci troveremo faccia a faccia con una constatazione bruciante sulla realtà che ci circonda: «La tendenza a cancellare il sacro, a eliminarlo interamente, prepara il ritorno surrettizio del sacro, in forma non più trascendente bensì immanente, nella forma della violenza e del sapere della violenza».

1980

« IL LIBRO DEGLI AMICI »
DI HUGO VON HOFMANNSTHAL

Quando Hofmannsthal, nel 1922, pubblicò la prima edizione di questo libro, forse ricordava le parole con cui Goethe aveva annunciato quella sua opera che dapprima voleva intitolare *Libro degli amici* e poi divenne il *Divano occidentale-orientale*: «Il Libro degli amici contiene serene parole di amore e simpatia che in certe circostanze vengono offerte a persone amate e stimate, solitamente al modo persiano con i margini arabescati d'oro». Il primo carattere di questo libro è dunque quello del dono rivolto a persone affini, e in quanto tale viene qui presentato come numero 100 della Biblioteca Adelphi.
Ma, oltre che rivolto agli amici, questo libro è stato anche in certo modo scritto da amici. Me-

scolando suoi pensieri e riflessioni a quelli di autori celebri e antichi o anche assai meno noti e contemporanei, Hofmannsthal è riuscito a creare un singolare slittamento: prima ancora che se stessi, quei nomi indicano le voci che partecipano a una inesauribile conversazione. E anche dietro alla voce dell'autore sembrano celarsi quelle di molti altri, che grazie a lui parlano in incognito. Col gesto di un sovrano discreto e pressoché invisibile, Hofmannsthal si preoccupa qui di fissare uno spazio più che di riempirlo: prepara ai pensieri un paradiso, nel senso iranico di «giardino cintato». Così le riflessioni che allinea non hanno mai la solennità e l'autosufficienza delle massime, ma si intessono l'una all'altra come una molteplicità di voci che si rispondono. E il tutto assume un'autorità più inafferrabile, che accetta di abbandonarsi alla fuggevolezza della parola detta e perduta. Molti di questi frammenti sono tratti da memorie, lettere, diari – e più che a un comune modo di pensare sembrano riferirsi a una qualche esperienza di vita che i vari parlanti, il cui volto è spesso in ombra, avrebbero in comune. Non sarà Hofmannsthal, nemico dell'esplicito, a precisare che cosa tiene insieme queste voci: ma sarà ogni lettore attento ad accorgersi che lo spazio disegnato da questo libro è quello stesso di una cultura occidentale che fosse arrivata a insegnare a se stessa, in senso metafisico, le buone maniere. Delle quali sarebbe il primo precetto, in rapporto ai pensieri, quello che qui viene accennato: «La profondità va nascosta. Dove? Alla superficie».

1980

« GLI ULTIMI GIORNI DELL'UMANITÀ »
DI KARL KRAUS

Gli ultimi giorni dell'umanità stanno al centro dell'opera di Karl Kraus, come il Minotauro nel labirinto. Tutti i suoi saggi, i suoi aforismi, i suoi pamphlets, le sue liriche convergono verso questo testo di teatro irrappresentabile, che accoglie in sé tutti i generi e gli stili letterari, così come la realtà di cui parla – quell'irrappresentabile evento che fu la prima guerra mondiale – racchiudeva in sé le più sottili e inedite varietà dell'orrore. Per Kraus, fin dall'inizio, la guerra fu un intreccio allucinatorio di *voci*, dal «quotidiano, ineludibile, orrendo grido: Edizione straordinaria!» alle chiacchiere dei capannelli, dalle dichiarazioni tronfie e ignare dei Potenti ai 'pezzi di colore' della stampa, sino all'inarticolato lamento delle vittime. «Non c'è *una sola* voce che Kraus abbia lasciato perdere, era invasato da ogni specifico accento della guerra e lo riproduceva con forza stringente», ha scritto Elias Canetti, che a Vienna ascoltò molte volte Kraus mentre leggeva in teatro scene degli *Ultimi giorni*. Così, mentre i più illustri scrittori del tempo, salvo rarissime eccezioni, davano una prova miserevole di sé, partecipando baldanzosi, da una parte o dall'altra, all'esaltazione bellica, Kraus fu l'unico che riuscì a catturare quell'evento immane in tutti i suoi aspetti, e nel momento stesso in cui accadeva, sulla pagina scritta: «La guerra mondiale è entrata completamente negli *Ultimi giorni dell'umanità*, senza consolazioni e senza riguardi, senza abbellimenti, edulcoramenti, e soprattutto, questo è il punto più importante, senza assuefazione» (Canetti). Per giungere a tanto, Kraus dovette abbandonarsi a un rovente delirio, a una perenne peregrinazione sciamanica attraverso le *voci*, sui mille teatri della guerra, dalle trincee ai Quartier Generali, dai luoghi di villeggiatura ai palazzi imperiali, dagli interni borghesi ai caffè. Il risultato si presenta come un imponente «masso erratico» nella letteratura del Novecento e spezza ogni categoria: prima fra tutte quella della «tragedia», a cui allude il sottotitolo con dolorosa ironia. Perché la tragedia presuppone almeno la coscienza della colpa: mentre qui centinaia di personaggi – fra i quali incontriamo i due imperatori, Francesco Giuseppe e Guglielmo II e vari Potenti maligni, ma anche una loquace giornalista e tanti di quei liberi lettori di giornali che compongono la voce delle masse – in un solo carattere concordano: una spaventosa comicità, data dalla loro comune inconsapevolezza di ciò che provocano e che subiscono, paghi come sono di trasmettersi frasi fatte e di «portare la loro pietruzza» sull'altare dove si attendono le sacre nozze fra la Stupidità e la Potenza. Come Kraus aveva già *visto* tutte le atrocità della guerra nella affabile vita viennese dei primi anni del Novecento, così nella prima guerra mondiale vide con perfetta chiarezza non solo il nazismo (che qui appare mirabilmente descritto prima ancora che il nome esistesse), ma gli anni in cui viviamo: *l'età del massacro*. Perciò a noi, come ai lettori di allora, si rivolgono le parole con cui Kraus introduceva gli *Ultimi giorni*: «I frequentatori dei teatri di questo mondo non saprebbero regger-

vi. Perché è sangue del loro sangue e sostanza della sostanza di quegli anni irreali, inconcepibili, irraggiungibili da qualsiasi vigile intelletto, inaccessibili a qualsiasi ricordo e conservati soltanto in un sogno cruento, di quegli anni in cui personaggi da operetta recitarono la tragedia dell'umanità».

Karl Kraus (1874-1936) fondò nel 1899 a Vienna una rivista, la «Fackel», che per trentasette anni sparse senza tregua «tradimento, terremoto, veleno e incendio dal *mundus* intelligibilis» (Walter Benjamin). Sulla rivista apparivano per lo più i testi – saggi, glosse, polemiche, aforismi, liriche – che Kraus poi rielaborava e pubblicava in volume. Così avvenne anche per alcune scene degli *Ultimi giorni dell'umanità*. Kraus scrisse la maggior parte del testo durante la guerra e diede più volte lettura pubblica di alcune scene. Continuò poi a lavorarci fino al 1922, quando ne apparve l'edizione definitiva.

1980

«CINQUE DONNE AMOROSE»
DI IHARA SAIKAKU

«Racconti del mondo fluttuante» (*ukiyo-zōshi*): così si definiva nel Giappone del Seicento il genere letterario a cui appartiene questo grande classico, qui tradotto per la prima volta in Italia. Ihara Saikaku fu maestro ineguagliato dell'*ukiyo-zōshi*: avido di particolari e di concretezza come un Balzac orientale, svelto e netto come un Maupassant, con lui l'arte del narrare irrompe nella vita di tutti i giorni, mescolando il *pathos* all'ironia. In queste sue storie le fascinose figure delle stampe giapponesi fra diciassettesimo e diciottesimo secolo escono dai loro rotoli e si muovono davanti a noi: per strade formicolanti, nei quartieri del piacere, nelle botteghe dei mercanti, sui percorsi dei pellegrinaggi, fra paraventi e guanciali. Giovinette e mezzane, mercanti e libertini, monaci e cortigiane: i loro destini si incontrano, si intrecciano, si ramificano, si dissolvono – con piccoli tocchi, con sapienti stacchi, rapidi mutamenti di scena. Sono uniti dal fatto di viaggiare sui «battelli carichi di tutti i nostri desideri» e da quel senso penetrante dell'impermanenza che avvolge come una patina preziosa ogni forma di vita del Giappone. Ciò che preme a Saikaku è lo scoccare, fra questi disparati destini, della passione erotica: amori che spesso si sprigionano da un minimo gesto, da una furtiva apparizione – e presto sono catturati nella rete sottile e smisurata dei divieti, degli usi, delle cerimonie. Allusioni, sotterfugi, travestimenti, equivoci, fughe, stratagemmi accompagnano così queste storie, dove è altrettanto acuto il sapore dell'animalità e quello dell'etichetta, dove l'esito è facilmente funesto.

Le vicende raccontate da Saikaku sono realmente accadute. Un giorno questi suoi amanti sono stati realmente condannati a morte, si sono suicidati o si sono insperatamente riuniti. Pochi anni dopo Saikaku, come un suo memorabile libertino, colleziona quelle lettere d'amore, quelle maniche di kimono, quelle sottovesti rosse, quelle ciocche di capelli, quei ritagli di unghie, quegli amuleti perduti e rinchiude tut-

121

to in quel «magazzino del mondo fluttuante» che è la sua prosa. Da lì quelle vicende usciranno poi trasformate in fantasmi, in leggende tramandate di bocca in bocca, corrose dal tempo, intrise di pianto come le maniche di tante sue «donne amorose». La sua narrazione, cosparsa di sapidi, asciutti commenti («Nulla è più agghiacciante delle donne» sentenzierà una volta, ma i suoi personaggi femminili sono i più accattivanti), ci sbalza continuamente dal grottesco al tragico, dalla crudeltà alla dolcezza, finché tutte le storie si avviano ugualmente a sciogliersi nel «mondo di rugiada». Ciò che rimane è schiuma e fumo. Presentati con una corposità iperreale, i personaggi di Saikaku acquisiscono così alla fine una sottile evanescenza, come una delle sventurate amanti da lui celebrate, di cui «ancora adesso par di vedere l'immagine della veste azzurro pallido che essa indossava quell'ultimo mattino», quando fu condannata a morte insieme al suo amato.

1980

«MIO PADRE E IO»
DI J.R. ACKERLEY

Per più di trent'anni, Joe Ackerley pensò alla storia raccontata in questo libro. La morte di suo padre, avvenuta nel 1929, e certe sorprendenti rivelazioni sulla vita di lui che gli si erano presentate, l'avevano gettato in uno stato di perplessa, penetrante curiosità. Si era reso conto di aver vissuto per molti anni accanto a una persona di cui sapeva ben poco e capiva ancora meno: lo aveva guardato come un ricco uomo d'affari – lo chiamavano «il re delle banane» –, dall'aria militare, abitudinario, pronto allo scherzo grassoccio, un uomo che passava (e presumibilmente aveva passato) tutta la vita fra ufficio e famiglia. E ora le sue origini e i suoi amori apparivano ben diversi, mettevano sulle tracce di uomini, donne, avventure di cui il figlio nulla sapeva. Oltre tutto, il giovane Ackerley si era a lungo considerato quasi l'opposto del padre, innanzitutto per due aspetti: era un delicato intellettuale che nutriva testardamente una vaga vocazione letteraria e un omosessuale predatorio, alla perenne ricerca dell'«Amico Ideale», che doveva preferibilmente essere proletario e indossare un'uniforme. Ma ciò che ora affiorava della vita del padre mutava la prospettiva totalmente, intrecciando le loro vite in una segreta complicità, aprendo dopo la morte quel dialogo che sempre avevano evitato nella loro vita. Questo libro è la storia sinuosa di quelle rivelazioni, di quel dialogo desolato e amoroso, della lenta ricerca di una verità.

Con una successione di colpi di scena, mirabilmente graduati dai flutti del tempo e della narrazione, Ackerley scompone il quadro di una supposta normalità familiare tardo-vittoriana e lo ricompone in un labirinto di complicazioni e di interrogativi: ogni vita – e non solo la sua, come il giovane Ackerley ingenuamente supponeva – sembra ora nasconderne in sé molte altre. Mentre accumula gli elementi per tracciare un ritratto del padre, ripercorrendo le successive, scandalose scoperte che aveva fatto su di

123

lui, si sente trascinato a tracciare anche un autoritratto, che è soprattutto la scandalosa confessione della propria omosessualità. Rivelando i segreti del padre, Ackerley vuole rivelare anche quella parte di sé che al padre aveva celato: e tratta entrambe le storie con la stessa equanime distanza, da grande narratore, concedendo ai fatti tutta la loro crudezza, senza compiacenze né verso altri né tanto meno verso di sé. Asciutto, ironico, idiosincratico, Ackerley ha un tocco crudelmente preciso nell'evocare il passato come una serie di corridoi che finiscono su porte chiuse, come una collezione di oggetti inutili, disparati e allusivi. E la sua scrittura sa restituire ogni volta a quei frantumi di vita, che mai riescono a combaciare, la loro labile aura psichica. Come *Padre e Figlio* di Edmund Gosse, ma sul versante torbido e amaro dell'esperienza, questo libro è la memorabile testimonianza di un rapporto di cui nessun libro riuscirà a esaurire i segreti.

1981

«FAVOLE DELLA VITA»
DI PETER ALTENBERG

Peter Altenberg apparve nella Vienna fine secolo come una strana pietra caduta dal cielo, ma composta di materiale affine al terreno su cui era capitata. Karl Kraus e Hugo von Hofmannsthal, allora giovanissimi e già del tutto opposti, concordarono però subito nel riconoscerlo e onorarlo: entrambi sentirono fin dall'inizio il suono giusto di Altenberg, nei suoi vividi schizzi, nei suoi romanzi che durano pochi secondi, nelle sue arabescate divagazioni, nel suo «stile telegrafico dell'anima». I libri di Altenberg si presentavano come la somma di tanti foglietti, per lo più vergati rapidamente al caffè, che dovevano contenere altrettanti «estratti di vita». Il dono più evidente che mostravano era l'immediatezza, la capacità di evocazione istantanea. Ma era solo una certa vita, certi luoghi, certe scene, certi personaggi che facevano vibrare quella prosa: un lungolago abbandonato o il giardino di un caffè concerto, una bambina stupenda e annoiata accanto ai genitori, un pianoforte che suona dietro una finestra aperta, una soubrette dalla inesplicabile grazia, una conversazione fatta di inezie che sottintendono cose terribili, un punto del Prater, la fotografia di una ragazzina nuda... In tutto questo Altenberg riconosceva quella zona della vita a cui egli stesso totalmente apparteneva: il suo eccesso inutile, la sua schiuma iridata. Come eterno feticista e cantore di *quella* vita, che sempre più minacciava di essere soffocata dallo «strisciante 'necessario'», Altenberg sedeva per ore al caffè, lanciava fulmini di condanna ed enormi insolenze, si confidava con vetturini e prostitute, adorava fanciulle che dovevano restare mute per non guastare l'incanto. Chi lo conobbe, chi lo ammirò in quegli anni – e non solo Kraus e Hofmannsthal, Polgar e Loos, dei quali pubblichiamo qui le memorabili testimonianze, ma anche Alban Berg, che mise in musica alcune «cartoline illustrate» di Altenberg – ci ha lasciato di lui immagini di una eccentrica grandiosità. «Non c'è

punto fermo migliore di questa inattendibilità»
scriveva Kraus. Nella costellazione della «Vienna del linguaggio», Altenberg è l'elemento più
imprevedibile e stravagante, lo scrittore che non
sondava alcuna «crisi dei fondamenti» se non
quella della vita stessa, di cui sempre si mostrò
eccessivamente innamorato, come soltanto può
un «invalido della vita», tarlato dall'ipocondria
e dall'angoscia. Ma la sua voce affascinò totalmente i suoi celebri amici, e continua ad affa-
scinarci oggi, come quella di una irriducibile infanzia. Hofmannsthal lo avvertì: «Sentirsi bambini, comportarsi come bambini è l'arte commovente degli uomini maturi».

1981

«AUTO DA FÉ»
DI ELIAS CANETTI

Auto da fé (1935), primo libro di Elias Canetti e
suo unico romanzo, è un'opera solitaria ed estrema, segnata dalla intransigente felicità degli inizi. Qui tutto si svolge nella tensione fra due esseri cresciuti ai capi opposti nelle immense fron-
de dell'albero della vita: il sinologo Kien e la sua
governante Therese. Kien è un grande studioso
che disprezza i professori, ritiene superflui e
sgradevoli i contatti col mondo, ama in fondo
una cosa sola: i libri. E i libri lo circondano e
lo proteggono, schierati come venticinquemila
guerrieri sulle pareti della sua casa senza finestre. Esperto come ogni filologo nell'arte del
dubbio, Kien cela una fede incrollabile: per lui,

«Dio è il passato» – e tutta la vita anela al «giorno in cui gli uomini sostituiranno ai propri sensi il ricordo e al tempo il passato». Fino a quel giorno, però, Kien, che davanti alla sua scrivania domina una sterminata tastiera mentale, appena esce per strada è perso nell'ignoto, diventa inerme e grottesco: di tutti i suoi tesori gli rimane soltanto l'illusoria corazza di un «carattere». Ma un «carattere» è anche la sua governante Therese. Maestosa nella sua lunga sottana blu inamidata – la *sua* corazza –, Therese raccoglie in sé le più raffinate essenze della meschinità umana. Anche Therese è un essere autosufficiente, che diffida del mondo: la sua bassezza è rigorosa, conscia della propria dignità e non tollera le mezze misure, come la sua inesorabile spazzola che fruga ogni angolo. Nella mente di Therese turbinano frasi sulle patate che sono sempre più care e sui giovani che sono sempre più screanzati. In quella di Kien rintoccano sentenze di Confucio. Ma qualcosa li accomuna nel profondo: una certa spaventosa coazione, il rifiuto di ammettere qualcos'*altro* nel loro mondo. Così, questi due esseri si fronteggiano come due capi tribù nemiche, che si inchinano però con timore davanti al dio straniero. *Auto da fé* racconta l'incrociarsi di queste due remote traiettorie e ciò che ne consegue: la minuziosa, feroce vendetta della vita su Kien, che aveva voluto eluderla con lo stesso rigore con cui analizzava un testo antico. Nella fanatica innocenza di Kien c'è una vocazione a subire tutti gli orrori, e lo seguiremo con raccapriccio nella sua discesa verso le regioni infime dell'esistenza, popolate da un teatro picaresco di allucinazioni. Una volta che Kien, perseguitato da Therese, ha messo piede nel regno proibito dei fatti, questi proliferano con fecondità demenziale e lo trascinano tra fetide bettole, il monte dei pegni e la guardiola di un portiere. Questo romanzo aspro, spigoloso è traversato da una lacerante comicità, unica lingua franca in cui ormai possa comunicarsi questa storia, prima di culminare nel riso di Kien mentre viene avvolto dalle fiamme, nel rogo della sua biblioteca.

1981

« LA MENTE PRIGIONIERA »
DI CZESŁAW MIŁOSZ

«Questo libro fu scritto a Parigi nel 1951-52, cioè in un periodo in cui gli intellettuali francesi, nella loro maggioranza, risentivano la dipendenza del loro Paese dall'aiuto americano e riponevano le loro speranze in un mondo nuovo all'Est, governato da un leader di incomparabile saggezza e virtù – Stalin». Così Miłosz, con delicato sarcasmo, ha descritto, nella premessa all'edizione italiana, la situazione in cui nacque e apparve per la prima volta *La mente prigioniera* (1953). Ma al lettore di oggi spetta di riconoscere che cosa è questo libro nel 1981: *il* libro che una volta per tutte, prima che il dissenso russo potesse manifestarsi, prima di Solženicyn, di Sinjavskij, di Zinov'ev, disse ciò che di essenziale vi è da dire sul sovietismo – e in particolare su quel colossale fenomeno di viltà dello spirito e cronico asservimento che ha contrassegnato il rapporto di milioni di intellettuali con il sovietismo stesso. A differenza di tanti dissidenti russi, Miłosz parla con una terribile pacatezza: troppo cupa è la vicenda che ha vissuto perché la sua voce possa alterarsi. Ed è la voce, lo si sente a ogni pagina, di un grande scrittore, di un abitante di quella vecchia, civilissima Europa dei popoli baltici, che furono «calpestati dall'elefante della Storia» senza che l'Occidente quasi se ne accorgesse. Questo libro non è un saggio, non è un racconto, non è un libro di memorie: è la dimostrazione inconfutabile, trasparente, di che cosa voglia dire nella vita di ogni giorno, per un numero sterminato di persone, l'obbedienza al Metodo, nome che qui designa il marxismo-leninismo, quella singolare dottrina che è «in grado di trasmettere per via organica una 'visione del mondo'», come le pillole di Murti-Bing immaginate dal genio visionario di Witkiewicz. Se fosse una qualsiasi posizione filosofica, tale dottrina sarebbe di una pochezza difficilmente uguagliabile. Ma esso è ben di più: un grandioso artificio che riesce davvero a «cambiare la vita»: il Metodo, una volta che stringe un mondo con le «tenaglie della dialettica», permette a chiunque di sorridere con superiore indulgenza di fronte a qualsiasi pensiero, invita dolcemente a sorvegliare e denunciare gli altri, insegna inebrianti misture di vero e di falso, concede la gioia di sentirsi al centro della corrente della storia e offre strumenti maneggevoli per far fuori i propri nemici. Alle devastazioni che il Metodo provoca nei singoli, alle prodigiose trasformazioni che esso produce nelle loro vite è dedicata la seconda parte del libro di Miłosz: qui egli traccia una sequenza di profili esemplari, carichi di intensità romanzesca – e costringe ogni lettore a percepire che cosa sia stata, in tutti i suoi passaggi, la sorte crudele di chi ha visto susseguirsi, sulla propria terra, il furioso orrore dei nazisti e la vischiosa oppressione dei sovietici. La rivolta di Varsavia, con i nazisti che uccidono e i sovietici che osservano compiaciuti dall'altra sponda della Vistola, è in certo modo l'esperienza simbolica di tutto il nostro secolo. Miłosz, che a essa è dolorosamente sopravvissuto, ha saputo trasmetterla in queste pagine a noi, eternamente sprovveduti occidentali, lasciando parlare i fatti e le fisionomie, come solo un poeta può fare. In Polonia, questo libro è tuttora proibito.

1981

«LO ZEN E L'ARTE DELLA MANUTENZIONE DELLA MOTOCICLETTA» DI ROBERT M. PIRSIG

Questo romanzo è una Grande Avventura, a cavallo di una motocicletta e della mente, è una visione variegata dell'America *on the road*, dal Minnesota al Pacifico, e un lucido, tortuoso viaggio iniziatico.

Una mattina d'estate, il protagonista sale sulla sua vecchia, amata motocicletta, con il figlio undicenne sul sellino e accanto a lui un'altra moto con due amici. Parte per una vacanza con «più voglia di viaggiare che non di arrivare in un posto prestabilito». Ma fin dall'inizio tutto si mescola: il paesaggio, che muta di continuo dagli acquitrini alle praterie, ai boschi, ai canyons, i ricordi che dilagano nella mente, la rete tenace dei pensieri che si infittisce intorno al narratore. Per lui, viaggiare è un'occasione per sgombrare i canali della coscienza, «ormai ostruiti dalle macerie di pensieri divenuti stantii». E altri pensieri crescono come erbe dalla cronaca del viaggio: l'amico si ferma, ha un guasto, impreca, non sa cosa fare. E il narratore si chiede: qual è la differenza fra chi viaggia in motocicletta sapendo come la moto funziona e chi non lo sa? In che misura ci si deve occupare della manutenzione della propria motocicletta?

Mentre guarda smaglianti prati blu di fiori di lino, gli si formula già una risposta: «Il Buddha, il Divino, dimora nel circuito di un calcolatore o negli ingranaggi del cambio di una moto con lo stesso agio che in cima a una montagna o nei petali di un fiore». Questo pensiero è la minuscola leva che servirà a sollevare altre domande subito incombenti: da che cosa nasce la tecnologia, perché provoca odio, perché è illusorio sfuggirle? Che cos'è la Qualità? Perché non possiamo vivere senza di essa? Come un metafisico selvaggio, come un lupo avvezzo a sfuggire alle trappole dei cacciatori, che in questo caso sono le parole stesse, il narratore avanza con la sua moto per strade deserte o affollate, seguìto dal fantasma di Platone e di Aristotele, e soprattutto dal «fantasma della razionalità», invisibile plasmatore della motocicletta e di tutto il nostro mondo. Ma nella sua ricerca una voce si incrocia con la sua, quella del suo Doppio, Fedro, che anni prima aveva pensato quelle stesse cose e, dietro di esse, aveva incontrato la follia. Tutti e due vogliono testardamente risalire a quel punto, oscuro e lontano, in cui «ragione e Qualità si sono staccate». Giunti a quel punto, apparirebbe evidente, luminoso, che «la vera motocicletta a cui state lavorando è una moto che si chiama voi stessi».

Pubblicato nel 1974 negli Stati Uniti, prima opera di un autore sconosciuto, questo libro ha avuto subito un successo immenso (cinque ristampe nello stesso mese, quando apparve l'edizione tascabile), paragonabile soltanto a quello di Castaneda e di Tolkien. In breve è diventato un libro-simbolo, il romanzo di un «itinerario della mente» in cui molti si sono riconosciuti.

1981

«CONSACRAZIONE DELLA CASA»
DI MARIO BORTOLOTTO

Questo libro è un'indagine sul teatro lirico articolata in una costellazione di undici saggi: in apertura, simbolicamente, incontriamo Wagner, nella sua opera-spartiacque, il *Lohengrin*, e poi, via via, Debussy, Schönberg, Strawinsky, Strauss, Puccini, Janáček, Čajkovskij, Berg, Berlioz, analizzati ciascuno in una singola opera, mentre uno scintillante *a parte* è dedicato alle vicende dell'operetta. Questi saggi non comunicano certo fra loro come altrettante tappe di lineare decorso storico. Ma, risuonando l'uno con l'altro, essi rimandano a una «filosofia della musica moderna» ben decisa a sfuggire alle roventi tenaglie della dialettica adorniana, pur nell'omaggio al maestro ineguagliato del pensiero musicale. Nella visione di Bortolotto, il dramma musicale moderno, irrevocabilmente annunciato dal cigno di *Lohengrin*, si dispiega sì in un ventaglio di forme spesso incompatibili, ma ogni volta accenna a un'origine comune: la *Romantik* tedesca, qui intesa come il luogo geometrico della musica stessa nella sua improbabile, effimera e sublime epifania occidentale. Ed è questo il luogo che non può (né vuole) raggiungere il melodramma italiano, cui viene qui magistralmente sottratto Puccini, in quanto già contagiato, nelle sottigliezze e nelle malie della sua orchestra, dall'*animico*. È la *Seele*, infatti, l'anima romantica, la psiche dilagante nel cromatismo il presupposto non solo della più rigorosa ricerca sul linguaggio (come si dimostra da Schubert a Webern), ma di una torsione definitiva della musica verso una sacra penombra che il melodramma, chiuso nella rappresentazione canonica degli affetti, non poteva conoscere. Già in *Fase seconda* Bortolotto aveva tracciato una linea della «nuova musica» che, ancora una volta in contrasto con Adorno, partiva da Debussy per giungere a Stockhausen e alla scuola americana. In questo libro si torna invece, da una parte, alle radici del «moderno», – e dall'altra si affronta il rapporto della musica con ciò che la contamina, quale un fantomatico «altro da sé»: l'azione teatrale. E qui i percorsi si sovrappongono in tropicale rigoglio. Qui, con l'implacabile *machete* di un'analisi che ogni volta nasce dalle cellule musicali, Bortolotto si apre una «via regale» che ci impone di guardare a tutta la musica moderna in una prospettiva radicalmente mutata. Non poche saranno le sorprese: due compositori apparentemente agli antipodi, come Strauss e Strawinsky, svelano occulte affinità nella pratica del «metacomporre»; Čajkovskij e Puccini vengono rivendicati, contro le stolte condanne della loro eccessiva piacevolezza; Berlioz appare come primo messaggero delle veggenze e delle fragilità dell'avanguardia; in Janáček si ravvisa l'opera nefasta dei Buoni Sentimenti nel tessuto musicale; e su tutto si libra il fantasma di *Lulu*, labile e perfetto compimento di un'impossibilità: un'opera moderna.

1982

«LA VITA APPARENTE»
DI GUIDO CERONETTI

Forse nessuno scrittore italiano di oggi è riuscito a stabilire un rapporto di complicità con i suoi lettori come Guido Ceronetti. Da qualche anno la terza pagina della «Stampa» è diventata per molti una sorta di casella postale, dove si va a controllare ogni giorno se è arrivato un biglietto dal solito, generoso, estroso mittente. Di che cosa ci parlerà questa volta? Di Mosè o di Barbara Stanwyck, dell'avanspettacolo torinese o di Zola, di Goya o dell'andropausa, di Santa

Caterina o di Santa Teresa, di Clemenceau o di Orazio? Ci parlerà di queste e di tante altre cose, ritornerà sui suoi temi, ne introdurrà di nuovi e disparati, ci racconterà qualche viaggio, qualche lettura, ci darà consigli su come fare il tè – e sarà, volta a volta, fedele e libertino, ma sempre roso dal «verme metafisico». Ceronetti, anima *naturaliter gnostica*, ama mescolarsi a tutto, perché a nulla appartiene, marionettista fantomatico che *non c'è*, ma *è*. Filologo e curioso, lettore di libri di *ogni* specie e insieme «lettore di strade, porte, vetrine, gente, cortili, insegne», trasforma l'articolo di giornale in giornale delle sue avventure. Il suo culto di devoto senza paramenti, ma con un dizionario sempre a portata di mano, è innanzitutto fondato sulla precisione della parola e dell'orecchio. Tutto – la letteratura o la storia o la filologia o la politica – è per lui ugualmente centrale, in quanto si riferisce a un unico centro che non ha nome. Così, con pari sicurezza, con pari vigore Ceronetti ci mostra il sovrapporsi di qualche austera parola latina di Spinoza e di un verso «incarnato» di Racine; o si addentra nelle viscere minerarie della «dannata, massiccia, cruciale seconda metà dell'Ottocento»; o colpisce la viltà del nostro mondo dinanzi al risucchio del «vuoto russo». In queste sue prose, che raccolgono articoli pubblicati quasi tutti fra il 1975 e il 1978, parla chi ha lottato per anni con le radici semitiche, per trarne le uniche memorabili versioni dalla Bibbia che siano apparse in lingua italiana, ma parla anche il vincitore di «appassionanti gare di tango, in compagnia di torinesi straordinarie, migliori delle bonaerensi del quartiere di Evaristo Carriego». Imprese ormai del tutto improbabili – eppure Ceronetti le ha compiute, e questo ci incoraggia a salire sulla sua agile «canoa che risale i fiumi sterminati del crimine e della morte», sulle cui sponde crescono le foreste della «vita apparente».

1982

«IN PATAGONIA»
DI BRUCE CHATWIN

«Patagonia» dicevano Coleridge e Melville, per significare qualcosa di estremo. «Non c'è più che la Patagonia, la Patagonia, che si addica alla mia immensa tristezza» cantava Cendrars agli inizi di questo secolo. Dopo l'ultima guerra, alcuni ragazzi inglesi, fra cui l'autore di questo libro, chini sulle carte geografiche, cercavano l'unico luogo giusto per sfuggire alla prossima distruzione nucleare. Scelsero la Patagonia. E proprio in Patagonia si sarebbe spinto Bruce Chatwin, non già per salvarsi da una catastrofe, ma sulle tracce di un mostro preistorico e di un parente navigatore. Li trovò entrambi – e insieme scoprì ancora una volta l'incanto del viaggiare, quell'incanto che è così facile disperdere, da quando ogni luogo del mondo è innanzitutto il pretesto per un *inclusive tour*. Eppure, eccolo di nuovo: l'inesauribile richiamo, il vagabondo trasalire di un'ombra – il viaggiatore –

fra scene sempre mutevoli. E nulla si rivelerà così mutevole come la Patagonia, che si presenta come un deserto: «nessun suono tranne quello del vento, che sibilava fra i cespugli spinosi e l'erba morta, nessun altro segno di vita all'infuori di un falco e di uno scarafaggio immobile su una pietra bianca». All'interno di questa natura, che ha l'astrattezza e l'irrealtà di ciò che è troppo reale, da sempre disabituata all'uomo, Chatwin incontrerà un arcipelago di vite e di casi molto più sorprendente di quel che ogni esotismo permetta di pensare. Questa terra eccentrica per eccellenza è un perfetto ricettacolo per l'allucinazione, la solitudine e l'esilio. Qui i coloni gallesi versano il tè fra i ninnoli; qui circolano folli, che si trasmettono il titolo di re degli Araucani o coltivano la memoria di Luigi II di Baviera; qui si incontrano ancora elusivi ricordi di Butch Cassidy e Sundance Kid; qui si respira l'aria dei grandi naufragi; qui esuli boeri, lituani, scozzesi, russi, tedeschi vaneggiano sulle loro patrie perdute; qui Darwin incontrò aborigeni dal linguaggio sottile, e li trovò così «abietti» da dubitare che appartenessero alla sua stessa specie; qui si contemplano unicorni dipinti nelle caverne; qui sopravvive qualcuno che vuol far dimenticare un atroce passato. Come un nuovo W.H. Hudson, devoto solo al «dio dei viandanti», Chatwin ci racconta le sue molte tappe: fra baracche di lamiera, assurdi chalets, finti castelli, vaste fattorie. E ogni tappa è una miniatura di romanzo. Alla fine, la Patagonia sarà per noi pullulante di fantasmi, che si muovono sul fondo della «calma primitiva» del

deserto, nella quale Hudson credeva di riconoscere «forse la stessa cosa della Pace di Dio».
Pubblicato nel 1977 come opera prima, questo libro appartiene alla specie, oggi rarissima, dei libri che provocano una sorta di innamoramento. La Patagonia di Chatwin diventa, per chiunque si appassioni a questo libro, un luogo che mancava alla propria geografia personale e di cui avvertiva segretamente il bisogno.

1982

«PALCHETTI ROMANI»
DI ALBERTO SAVINIO

In questo volume sono per la prima volta raccolte tutte le cronache teatrali che Savinio scrisse per il settimanale «Omnibus», diretto da Leo Longanesi, fra il 1937 e il 1939. In quel periodo sfilarono dinanzi al suo occhio di spettatore non complice tutte le glorie e le miserie del teatro italiano, dai testi rutilanti del «bardo» D'Annunzio (e del «bardo in seconda» Sem Benelli) alle «freddure» del varietà, dai *Giganti della montagna* di Pirandello a *Villafranca* di Giovacchino Forzano, inframezzati dalle obbligatorie *pochades*, dai Rostand, dagli Shaw, dai Rattigan, dai Bernstein, oltre che da qualche Plauto, Shakespeare e Lope de Vega. Quanto agli attori, andavano dal vegliardo Ermete Zacconi all'esordiente Anna Magnani, e fra l'uno e l'altra – oltre all'aleggiante ricordo della Duse – troviamo davvero tutti: da Benassi alla Morelli, da Ricci alla Pagnani, da Dina Galli ai De Filippo, dalla Gramatica alla Melato, da Macario a Tòfano. Savinio fu un grande spettatore e testimone di quel teatro innanzitutto perché andava a vederlo malvolentieri. Per una sua vasta parte, il teatro è l'involontario e momentaneo mettersi in scena di una civiltà: e Savinio sentiva acutamente il tanfetto stantio, l'orrenda «sanità» di gran parte della civiltà italiana in quegli anni. I nostri più celebri attori gli apparivano, quasi tutti, fatalmente «pensosi», inabili dunque alla «frivolità», da lui definita «la qualità di più difficile acquisto», che «non viene se non alla sera di una lunga giornata di fatica». Di quella «frivolità» sono invece esempio supremo queste cronache: impaziente, esilarante, perfido, Savinio procede per accostamenti fulminei, presentati ogni volta come fossero ovvi: così, grazie a lui, capiamo il profondo legame fra Ermete Zacconi e Shirley Temple; o la «stretta affinità fra la recitazione di Benassi e le decorazioni di ferro battuto che adornano le porte del teatro Eliseo» (non ancora ristrutturato); o il nesso fra il «grande stile» di Ruggero Ruggeri e «quello delle coppe con le quali erano premiati i vincitori dei concorsi ippici intorno al 1900». Ma l'ironia non faceva velo, in Savinio, all'equità, che gli permetteva di individuare con chiaroveggenza le peculiarità dei vari talenti. Quanto ai testi, per uno spettatore come Savinio, che vedeva nel *Racconto d'inverno* di Shakespeare il suo ideale «spettacolo di varietà», era una soave tortura ascendere all'*Alta montagna* di Salvator Gotta. Ma al senso di sorda oppressione che spesso emanava dalla scena Savinio poneva rimedio guardandosi intorno, distraendosi, divagando, con quella sua felice infedeltà alle forme che gli permetteva di «passare da una all'altra come una volta, di posta in posta, si cambiavano i cavalli». Allora poteva rivelarglisi la visione di gran lunga più grandiosa: il pubblico. Nessuno degli spettacoli di quegli anni ha la maestosa, greve intensità del pubblico di una serata di Govi, quale Savinio, cronista visionario, ci ha descritto: «Sembrava un'assemblea di divinità egizie, metà uomini e metà animali. Fronti aggrottate sulle quali calava una capigliatura fitta come il muschio, occhi acquosi e invasi dalle palpebre, mani enormi posate sulle ginocchia come costate di manzo sul marmo del macellaio, spalle a mappamondo, cosce a condutture del gas, e un ansimare profondo di ruminanti di notte nella stalla».

1982

«QUADERNI, I»
DI SIMONE WEIL

I *Quaderni* di Simone Weil cominciano oggi ad apparirci per ciò che sono: un'opera unica e solitaria, senza ascendenze, senza discendenze, un cristallo perfetto composto di molteplici cristalli. Simone Weil riempì sedici grossi quaderni fra l'inizio del 1941 e l'ottobre 1942: aveva poco più di trent'anni, la guerra era nel suo momento più cupo, la vita la trascinava, come tanti rifugiati, fra Marsiglia, gli Stati Uniti, Londra, dove sarebbe morta nel 1943, dopo aver tentato in ogni modo di farsi paracadutare dietro le linee tedesche. Con prodigiosa intensità, trasmettendoci quasi il pulsare del pensiero stesso nel momento in cui si fissa, Simone Weil annotò in quel periodo questa «massa non ordinata di frammenti»: tutti i temi delle sue riflessioni precedenti, che erano state soprattutto filosofiche e sociali, vi riappaiono e alcune decisive scoperte sono qui testimoniate, come la lettura dei grandi testi sanscriti, fatta con René Daumal. Ma ciò che subito colpisce è l'invisibile presupposto che irraggia la sua luce su queste pagine. Qui, più che mai prima in lei, parla un pensiero trasparente e durissimo, caparbiamente concentrato su un esile fascio di parole che la Weil incontrava interrogando pochi testi inesauribili (le *Upaniṣad*, la *Bhagavad Gītā*, i Presocratici, Platone, Sofocle, i Vangeli, san Paolo): amore, forza, necessità, equilibrio, bene, desiderio, sventura, bellezza, limite, sacrificio, vuoto. Nulla come il contatto con queste parole può rendere evidente la miseria della filosofia, della scienza, della religione, della politica abbandonate al loro *karman* occidentale. Mentre proprio dinanzi a queste parole si accende il pensiero della Weil, che è l'esperienza stessa di «agganciare il proprio desiderio all'asse dei poli». La Weil sapeva perfettamente che quelle parole sono altrettante ordalie, perché fanno traversare il fuoco a chi le pronuncia. Chi può pronunciarle, in quanto sa a che cosa esse si riferiscono, ne esce illeso. Ma quasi nessuno ne esce illeso. Nella bocca di quasi tutti quelle parole sono carcasse deformi. Sotto la penna di Simone Weil tornano a essere cristalli misteriosi. Per osservare quei cristalli con attenzione – e l'attenzione è appunto la suprema virtù praticata dalla Weil, quella che riassume in sé tutte le altre – bisogna essere almeno un matematico dell'anima: Simone Weil lo era.

1982

« ZHUANG-ZI »

Se l'umanità fosse ridotta ad avere pochissimi libri (forse dieci, forse cinque), dovrebbe includervi il *Zhuang-zi*. È un'opera inesauribile, perennemente viva, agile, fluida, di una gravità così leggera, di una leggerezza così giusta, priva di ogni pomposità e autorevole come l'origine stessa. Scritto nel secolo IV a.C. e da sempre considerato uno dei tre grandi classici del taoismo, questo libro si presenta come una sequenza di «storielle simboliche, apologhi, discussioni», ma nasconde fra le sue mobili pieghe innumerevoli altre forme: raccolta di miti e di aforismi, teoria del governo e della natura, silloge di aneddoti memorabili, prontuario sciamanico, fiaba, elenco di ultime verità. Eppure, nel momento stesso in cui le accenna, il *Zhuang-zi* vanifica queste forme. La sua parola, alla maniera del vero taoista, «vive come se galleggiasse» – e, ogni volta, è un passo più in là di ciò che dice e di ciò che il lettore capisce. Qui i più sottili ar-

gomenti metafisici e logici vengono mirabilmente presentati e subito dopo accantonati con
incuranza, come altrettanti giocattoli del Figlio
del Cielo – quasi a dimostrarci l'angustia di quel
che consideriamo essere il pensiero. Indenni da
ogni morbo morale, queste pagine sottintendono che «la bontà e la giustizia sono soltanto lo-
cande di passaggio degli antichi sovrani» e che
«il rito non è altro che un fiore superficiale del
Tao, l'inizio del disordine». Il loro modello è
una ininterrotta metamorfosi, simile a quella
del cielo e delle acque: la morte vi è assorbita
con una disinvoltura quale mai più fu raggiunta. Se la maggior parte dei libri è dedicata a illustrare ciò che tutti conoscono: «l'utilità del-
l'utile», il *Zhuang-zi* illumina ciò che nessuno
sa: «l'utilità dell'inutile».
Dell'autore che diede il suo nome al *Zhuang-zi*
sappiamo che visse nel Nord della Cina e «fu un
perfetto taoista, se non altro perché unica traccia della sua vita è un libro scintillante di genio
e di fantasia», scriveva Marcel Granet. E sempre
Granet precisava che «questo libro, tradotto e
ritradotto, è propriamente intraducibile».

1982

«GLI ULTIMI GIORNI DI IMMANUEL KANT»
DI THOMAS DE QUINCEY

La vita di Immanuel Kant, scrive De Quincey,
«fu notevole non tanto per i suoi avvenimenti
quanto per la purezza e la dignità filosofica del

suo tenore quotidiano». Era un ordine perfetto e infantile, dove ogni minuzia della giornata
veniva osservata con lo stesso rigore, con lo stesso scrupolo di trasparenza che il grande filosofo
dedicò ai problemi epistemologici. Nel corpo
minuto di Kant, nelle sue maniere austere e a-
mabili vivevano i Lumi, giunti al grado più nobile e penetrante del loro fulgore, come in un
delicato involucro. E un giorno quel perfetto ordine avvertì i primi segni del declino. Da allora, ingaggiò una lunga, testarda lotta contro le
forze della disgregazione. Thomas de Quincey,
collazionando le varie testimonianze di amici
sull'ultimo periodo della vita di Kant, e utiliz-
zando soprattutto quella, insieme modesta e ra-
pace, di Wasianski, ne ha tratto una narrazione
che corrisponde agli antichi tratti del «sublime». Dinanzi al progressivo decadere di quella
vita mirabilmente costruita, dinanzi alla racca-
pricciante comicità di certe scene e allo strazio
immedicabile di altre, viene naturale dire di questo testo, in cui convivono, come rare volte acca-
de, la più acuminata modernità e un purissimo
pathos: chi ha lagrime per piangere pianga.

1983

« BIGLIETTI DA VISITA »
DI NORMAN DOUGLAS

Per anni e anni Norman Douglas lasciò cadere
biglietti da visita dentro un vaso di bronzo, un
bruciaprofumi giapponese che gli aveva regala-

to una donna dagli occhi ardenti e dal sangue cubano come ringraziamento per aver ritrovato un suo amato bassotto. E un giorno cominciò a estrarne, uno a uno, quei biglietti. Essi agirono per lui come una sorta di ripetuta, ironica e invadente *madeleine*. Nomi, nomi, titoli, poche parole tracciate a penna... A poco a poco, per sprazzi, riemergeva una vita intera. Erano biglietti da visita che preannunciavano convegni amorosi ignorati da tutti; o altrimenti evocavano qualche pomposo professore tedesco; o avvocati napoletani (in ragguardevole numero); o dame dai nomi compositi e improbabili; o altri esseri disparati che avevano abitato o traversato in qualche momento il folto, capriccioso, differenziato paesaggio della vita di Douglas. Fra la Germania e Ceylon, fra Pietroburgo e la Tunisia, fra l'Inghilterra e l'Italia, Douglas aveva condotto una lunga esistenza di sapiente profano, dedicandosi alla storia naturale e alla letteratura, ma soprattutto alle sue due prime vocazioni: il piacere di vivere e un'illuminata curiosità, che si applicava egualmente alle rocce, agli animali e alle persone. Alcuni luoghi hanno arricchito per sempre il loro *genius* con quello di Douglas: innanzitutto Capri, di cui egli merita di essere considerato un padrino celeste. Estraendo i suoi biglietti da visita, Douglas si addentra nel suo passato con lo stesso gusto del vagabondaggio che lo aveva sempre dominato. Ogni tanto il nome evoca soltanto un punto interrogativo; altre volte, variegati cortei di storie. Le persone si allineano come in una serra, dove ogni pianta viene amorosamente curata e osservata nella sua singolarità, il ricordo di un'oscura ruffiana napoletana come quello di D.H. Lawrence. Nulla riesce a mettere in soggezione Douglas. E la sua perizia di naturalista gli è preziosa nel descrivere le persone, come quando ci presenta W.H. Hudson «come un vecchio falco appollaiato sul suo trespolo, perspicace e silenzioso».

Un senso sottile di felicità permea questo libro, come rare volte in un grande autore del nostro secolo. Irresistibilmente ci sentiamo inclini a dargli fede, quando ci assicura che *allora* «ci divertivamo di più». E la sua felicità si trasmette anche al lettore di oggi, che vorrebbe scrivere a Douglas, dopo aver letto queste pagine, le stesse parole che gli scrisse Lytton Strachey: «In questi anni decisamente magri è la grassezza delle sue mandrie che colpisce di più. I suoi libri sono così pieni, ci sono dentro tante cose... tanta esperienza, tanta cultura, tanta arte, tanto umorismo, tanta filosofia, e tante prove che sotto c'è ancora tanto, tantissimo, di più, che non è ancora stato detto».

1983

«DIALOGHI DELFICI»
DI PLUTARCO

Il tramonto degli oracoli è forse il testo più grandioso che ci parli della fine del mondo antico. Nessun'altra immagine di storico o di poeta ha l'eloquenza desolata di Plutarco, quando ci presenta la terra che «un tempo straripava di voci oracolari» e «ora si è completamente inaridita, come una sorgente che si esaurisce». Narra una storia che aquile, oppure cigni, «partiti dai limiti estremi della terra e diretti al suo centro», si ritrovarono a Delfi, «ombelico» del mondo. Ma ora anche lì gli oracoli rischiano di giacere «muti come strumenti trascurati dai suonatori», mentre una voce soprannaturale annuncia ai naviganti la morte di Pan, e un lungo gemito risponde all'annuncio. La testimonianza di Plutarco ci appare tanto più significativa in quanto egli stesso fu per vent'anni uno dei sacerdoti di Delfi: questo amabile saggista, questo Montaigne della tarda antichità era anche un custode dei suoi segreti. Ed è commovente ascoltarlo nella sua difesa dell'oracolo, quand'anche esso non parli più in versi, ma in prosa, come vuole il tempo del declino. Mai come nei «dialoghi delfici», che sono raccolti in questo volume, il carattere bifronte di Plutarco, che si rivolge al tempo stesso alla divagazione letteraria e alla verità esoterica, si rivela in tale evidenza. E tanto basta a fare di queste pagine il congedo più ammaliante e più misterioso dal mondo pagano.

1983

« IL MULINO DI AMLETO »
DI GIORGIO DE SANTILLANA E HERTHA
VON DECHEND

Il mulino di Amleto è uno di quei rari libri che mutano una volta per tutte il nostro sguardo su qualcosa: in questo caso sul mito e sull'intera compagine di ciò che si usa chiamare «il pensiero arcaico». Cresciuti nella convinzione che la civiltà abbia progredito «dal *mythos* al *logos*», «dal mondo del pressappoco all'universo della precisione», in breve dalle favole alla scienza, ci troviamo qui di fronte a uno spostamento della prospettiva tanto più sconcertante in quanto è condotto da uno dei più eminenti illustratori del «razionalismo scientifico»: Giorgio de Santillana. Proprio lui, che aveva dedicato studi memorabili a Galileo e alla storia della scienza greca e rinascimentale, si trovò un giorno a riflettere su ciò che il mito veramente raccontava – e capì di non aver capito, sino allora, un punto essenziale: che anche il mito è una «scienza esatta», dietro la quale si stende l'ombra maestosa di Ananke, la Necessità. Anche il mito *opera misure*, con precisione spietata: non sono però le misure di uno Spazio indefinito e omogeneo, bensì quelle di un Tempo ciclico e qualitativo, segnato da scansioni scritte nel cielo, fatali perché sono il Fato stesso. È questo Tempo che muove il «mulino di Amleto», che gli fa macinare, di èra in èra, prima «pace e abbondanza», poi «sale», infine «rocce e sabbia», mentre sotto di esso ribolle e vortica l'immane Maelstrom.

Di questo «mulino di Amleto» gli autori seguono le tracce in un percorso vertiginoso, da Shakespeare a Saxo Grammaticus, dall'*Edda* al *Kalevala*, dall'*Odissea* all'epopea di Gilgameš, dal *Ṛg Veda* al *Kumulipo*, vagando dalla Mesopotamia all'Islanda, dalla Polinesia al Messico precolombiano. I *disiecta membra* del pensiero mitico, che ama «mascherarsi dietro a particolari apparentemente oggettivi e quotidiani, presi in prestito da circostanze risapute», cominciano qui a parlarci un'altra lingua: là dove si racconta di una tavola che si rovescia o di un albero che viene abbattuto o di un nodo che viene reciso non cerchiamo più il luogo di quegli eventi su un atlante, ma alziamo gli occhi verso la fascia dell'eclittica, la *vera terra* dove si svolgono gli avvenimenti mitici, il luogo dove si compiono i grandi peccati e le imprese eroiche, il luogo dove si è compiuto il dissesto originario, fonte di tutte le storie, che fu appunto lo stabilirsi dell'*obliquità dell'eclittica*. Da quell'evento consegue il fenomeno delle stagioni, archetipo della *differenza* e del ritorno dell'*uguale*. Così il «mulino di Amleto» si rivelerà alla fine essere la stessa «macchina cosmica».

«I veri attori sulla scena dell'universo sono pochissimi, moltissime invece le loro avventure»: Argonauti che solcano l'Oceano delle Storie, navighiamo qui sulla rotta di quelle avventure, che vengono ricomposte usando frammenti della più disparata provenienza, vocaboli dei molti «dialetti» di una lingua cifrata e perduta, «che non si curava delle credenze e dei culti locali e si concentrava invece su numeri, moti, misure, architetture generali e schemi, sulla struttura dei numeri, sulla geometria». Ma il mito si lascia spiegare soltanto in forma di mito: la struttura del mondo può essere soltanto *raccontata*. È questo il sottinteso della forma labirintica, di temeraria fuga musicale, che si dispiega nelle pagine del *Mulino di Amleto*. Qui la Biblioteca di Babele torna finalmente a essere invasa dai flutti del Maelstrom e, attraverso un velo equoreo, intravediamo la dimora del Sovrano spodestato, Kronos-Saturno, che *un tempo* stabilì le misure del mondo e del destino.

1983

« STALIN »
DI BORIS SOUVARINE

Questo libro è il primo che abbia detto alcune essenziali verità su Stalin. E le ha dette così presto, e con tale nettezza, che la sua presenza ha accompagnato come un'ombra gli ultimi vent'anni di vita del capo sovietico, oltre che la sua fortuna postuma. Non solo: le ha dette per bocca di uno storico che era stato uno dei segretari della Terza Internazionale, uno dei fondatori del Partito Comunista Francese, collaboratore di Lenin, Trockij, Zinov'ev, Bucharin, Radek, Rakovskij, Klara Zetkin, Gramsci, Bordiga, infine amico e compagno di Simone Weil nelle lotte del sindacalismo rivoluzionario in Francia. Souvarine giunse dunque a capire la natura di Stalin e del bolscevismo dall'interno, e da un interno assai intimo, senza però che la sua visione fosse a sostegno di *un certo* bolscevismo contro un certo altro, come avvenne invece ai molti trockisti che denunciarono i misfatti di Stalin negli Anni Trenta. Souvarine presentò per la prima volta all'Occidente un'immane quantità di fonti e documenti, fino allora ignorati o letti rozzamente: e soprattutto illuminò questo materiale con una lucidità e una fermezza esemplari, che vi facevano risaltare non solo il profilo della persona Stalin ma quello che Souvarine chiamò il «disegno storico del bolscevismo».

Pubblicato a Parigi nel 1935, dopo complesse vicissitudini editoriali, lo *Stalin* di Souvarine ebbe un'edizione ampliata nel 1940 – e infine, nel 1977, dopo lunghi anni in cui il libro era introvabile e ricercatissimo, riapparve nell'edizione che qui si presenta, con l'aggiunta di un capitolo sugli ultimi anni di Stalin e di una preziosa prefazione in cui l'autore ha raccontato la tortuosa storia della sua opera. A Georges Bataille, amico di Souvarine, che gli chiedeva notizie sulle decisioni dell'editore Gallimard riguardo allo *Stalin*, André Malraux rispose: «Penso che lei abbia ragione e, con lei, Souvarine e i vostri amici, ma sarò dalla vostra parte quando sarete i più forti». Il tempo sembra aver rafforzato in modo inaudito, con le rivelazioni e i fatti che si sono sgranati negli anni, la posizione di Souvarine. Ma non per questo oggi il suo libro si pone dalla parte dei «più forti». Rimane il fatto che rare volte gli eventi hanno a tal punto accentuato l'attualità di un libro di storia contemporanea come in questo caso. Tre decenni prima che il mondo occidentale cominciasse a capire il significato della sigla GULag, Souvarine scriveva: «Se si pensa alle condizioni miserabili dei milioni di deportati, alle masse di forzati maltrattati e ai campi di concentramento nei quali una spaventosa mortalità apre larghi vuoti, ai campi di isolamento e alle carceri gre-

mite, ai milioni di bambini abbandonati fra cui
una esigua percentuale riesce a sopravvivere alle esecuzioni capitali e alle spedizioni punitive,
in breve alle moltitudini "falciate a larghe brac-
ciate" da Stalin, non c'è da stupirsi davanti agli
immensi carnai di questa gigantesca prigione definita con doppia antifrasi "patria socialista"».

1983

« SCRITTI »
DI ROBERTO BAZLEN

Roberto Bazlen non pubblicò nulla durante la
sua vita. Eppure si può dire che sempre la sua
vita ha avuto a che fare con i libri. Così l'immagine che per molti si è fissata di lui è quella
di un infaticabile scopritore e suggeritore di o-
pere, di autori. Ma basta aprire una pagina qualsiasi di questi suoi *Scritti* per avvertire che quel-
l'immagine è parziale e sviante. Singolare non
è tanto che apprezzasse e consigliasse *quei* libri
(in fondo erano libri essenziali del nostro tempo, e solo in un paese di inveterata angustia cul-
turale i suoi suggerimenti sono potuti apparire
a lungo *eccentrici*); singolare è che una vita così
viva (per lui il raggiungimento più difficile: «Un
tempo si nasceva vivi e a poco a poco si moriva.
Ora si nasce morti – alcuni riescono a diventare a poco a poco vivi»), che un'intelligenza così bruciante, che una limpida vocazione sciamanica sfociassero, come nella loro principale ma-
nifestazione pratica, in quell'attività del consi-

gliare libri. Taoista (è l'unica definizione che gli si può applicare senza imbarazzo), Bazlen aveva imparato da Chuang-tzu che il sapiente lascia il minimo di tracce: quei libri di cui parlava e che consigliava erano le sue tracce. Per il resto, ciò che ha scritto è tutto una sequenza di «note senza testo»: annotazioni leggere, acuminate, narrative o aforistiche o epistolari, leggibili tutte come appunti per un'immaginaria scienza dell'autotrasformazione. Una scienza che, se esistesse, non si manifesterebbe in forma scritta; e, finché è immaginaria, si manifesta per scritto nel modo più discreto, quasi impercettibile.

1984

« LA TENTAZIONE DI ESISTERE »
DI E.M. CIORAN

Chi vuole avvicinarsi a Cioran apra questo libro: è forse il suo più perfetto, ma soprattutto è quello che lo rivela nei suoi gesti peculiari, nella fisiologia, nel «ritmo suo proprio, pressante e irriducibile». Maestro attuale di quell'arte del «pensare contro se stessi» che si era già dispiegata in Nietzsche, Baudelaire e Dostoevskij, questo scrittore rumeno, al quale dobbiamo la più bella prosa francese che oggi si scriva, appartiene per vocazione alla schiera dei condannati alla lucidità. Che la lucidità sia una condanna, oltre che un dono, nessuno sa mostrarcelo con altrettanta precisione, con altrettanta inventiva, quasi da camuffato romanziere. E si tratta di una lucidità macerata dal tempo, dall'eredità di tutta la nostra cultura. Se «c'è un "odore" del tempo», e così anche «della storia», Cioran è, fra gli animali metafisici, il più addestrato nel riconoscerlo, nell'inseguirlo, anche là dove spesso chi fa professione di storico non avverte le tracce di questa «*aggressione dell'uomo contro se stesso*». Non c'è osservatore più perspicace di quel «lato notturno» della storia che oggi avvolge il mondo in un manto oscuro. Che cosa sia, che cosa sia stata l'Europa *si respira* in ciascuna di queste pagine. E mai corriamo in esse il pericolo di cadere in una maiuscola Serietà, «peccato che nulla può riscattare». Trovandosi a vivere in un'epoca dove essere «epigoni è di rigore», Cioran ha voluto spingere l'ironia delle sue buone maniere sino a comporre, in una pagina memorabile di questo libro, un elogio della futilità, di quella «futilità cosciente, acquisita, volontaria» che è la «cosa più difficile al mondo». Per noi che «abbiamo *il fenomeno* nel sangue», che nasciamo già «in preda alla febbre del visibile», ogni strategia per approssimarsi alla «liberazione da sé e da tutto» implicherà le virtù della leggerezza, dello stile e della mistificazione. Così, «per diventare futili, dobbiamo tagliare le nostre radici, diventare metafisicamente *stranieri*».

Sul destino degli Ebrei o sulla fine dell'antichità, su Pascal o su Saint-Simon, su Gogol' o su Epicuro, sulla smania analitica o sulla noia, sulla «superstizione dell'atto» o sui nostri «dèi alla deriva», questo metafisico straniero ha qualcosa di essenziale da dirci, ma non si sofferma mai troppo, come se ogni verità fosse tollerabile soltanto se si mostra nei barbagli di una imprevedibile conversazione. Sarebbe un'inutile lode sottolineare la chiaroveggenza di questo libro, che è del 1956, là dove parla di tendenze storiche, psicologiche, letterarie. Cioran non va letto per trovare conferme. Per lui, la «tentazione di esistere» (a cui dedica un'ultima ironia: «*Esistere* è una inclinazione che non dispero di far mia») presuppone una «iniziazione alla vertigine», e la sua pagina comunica al lettore una scossa allarmante per ogni certezza verbale. Eppure, alla fine, la sua prosa amara, corrosiva, diventa una compagnia salutare per tutti coloro che si trovano di fronte «un mondo unificato nel grossolano e nel terribile».

1984

«GÖDEL, ESCHER, BACH: UN'ETERNA GHIRLANDA BRILLANTE» DI DOUGLAS R. HOFSTADTER

Certi libri hanno un valore di *soglia*: dopo che sono apparsi, molte cose ci si rivelano in prospettiva, e retrospettivamente, diverse. Quando *Gödel, Escher, Bach* venne pubblicato in America, nel 1979, si presentava come un oggetto irto di stranezze e difficoltà, a cominciare dal titolo. Entro pochi mesi, alcune centinaia di migliaia di copie erano state vendute e il libro appariva esattamente come l'opposto: un libro chiarificatore, capace di illuminare in tutte le sue connessioni un immenso groviglio di temi che ci accompagnava, ci ossessionava da tempo e ora affiorava nella sua interezza davanti ai nostri occhi, come un'isola corallina. Quel groviglio è l'oggetto di studio per una disciplina che affascina tutti e che nessuno osa definire: *l'intelligenza artificiale*. La gente del mestiere per lo più conviene che la migliore definizione dell'intelligenza artificiale sia quella data da Tesler: «L'intelligenza artificiale è tutto quello che ancora non è stato fatto». In breve: tutto ciò che le macchine hanno imparato a fare, e che (prima che lo facessero) era ritenuto segno di comportamento intelligente, non viene ritenuto più tale una volta che le macchine lo fanno. La vera essenza dell'intelligenza sembra essere così, per definizione, sempre *un passo più in là*. E ormai quel passo più in là ha condotto i teorici dell'intelligenza artificiale ad aggirarsi fra le più antiche questioni metafisiche, che si presentano in fogge e maniere sconcertanti, come i personaggi che Alice incontra nel mondo di là dallo specchio. Una prima, preziosa mappa di quel mondo ci è offerta appunto da quel «labirinto armonico» che è *Gödel, Escher, Bach*.

Gödel, Escher, Bach: un grande logico, un grande pittore, un grande musicista. Che cosa lega questi nomi, a parte la gloria? Uno Strano Anello. E che cos'è uno Strano Anello? Ci suggerisce Hofstadter: «Il fenomeno dello 'Strano Anello' consiste nel fatto di ritrovarsi inaspettatamente, salendo o scendendo lungo i gradini di qualche sistema gerarchico, al punto di partenza». Salire una scala e ritrovarsi ai piedi della scala. È un fenomeno che Escher ha disegnato, che Bach ha messo in musica, che Gödel ha posto al centro del suo teorema. Ma che importanza ha questo fenomeno, con quel lieve senso di vertigine, di invincibile sconcerto che lo accompagna? È un fenomeno che si presenta quando un sistema parla di se stesso. Ma è facile accorgersi che le cose che un sistema ha da dire su se stesso sono proprio le cose essenziali, quelle da cui le altre dipendono. E proprio quelle sono le cose che vengono strette nello Strano Anello e non riescono a evaderne: condannate a una perenne vertigine, come quella che danno due specchi che si riflettono. Il teorema di Gödel implica anche questo: che quella vertigine *non potrà mai* essere superata. Questo è in certo modo il cuore dell'intelligenza artificiale, ma anche il cuore di imprese disparate del pensiero che, dalla teoria degli insiemi di Cantor alla decifrazione del codice genetico, dalle macchine di Turing alle «frames» di Minsky, hanno osato metter piede, non per intuizione ma per via algoritmica, cioè costruendo procedure precisate *passo per passo*, nel Regno dell'Autoreferenza.

Questo libro sugli Strani Anelli, che attraversa calcolatori, formicai, paradossi, neuroni, sistemi formali, forme musicali, grammatiche, ribosomi, cervelli, codici, kōan, è esso stesso uno Strano Anello, una «fuga metaforica su menti e macchine nello spirito di Lewis Carroll». E questo non certo per abbellire letterariamente l'«arido vero» della scienza, ma perché qui *si mostra* come una forma letteraria possa avere conseguenze su un'argomentazione scientifica, e come una argomentazione scientifica possa sostenere occultamente una forma letteraria. Giustamente Martin Gardner ha scritto che «la struttura di questo libro è satura di complicato contrappunto non meno di una composizione di Bach o dell'*Ulisse* di Joyce».

1984

«IL CROLLO DELLA MENTE BICAMERALE E L'ORIGINE DELLA COSCIENZA» DI JULIAN JAYNES

Che cos'è la coscienza? Questa, che per noi è l'esperienza più immediata e vicina, questo «teatro segreto fatto di monologhi senza parole e di consigli prevenienti, dimora invisibile di tutti gli umori, le meditazioni e i misteri», continua tuttora ad aleggiare, come oggetto inafferrabile, nella ricerca scientifica e filosofica. Julian Jaynes, psicologo sperimentale di formazione, accenna in questo libro una risposta davvero nuova all'antico quesito. E non vuole soltanto mostrarci che cosa la coscienza *non* è (attraverso una disamina devastante delle teorie correnti sul tema), ma che cosa essa è e come è nata, in un intreccio audacissimo fra neurofisiologia, teoria del linguaggio e storia. Il punto di partenza è qui la divisione del cervello in due emisferi. Sappiamo che uno solo di tali emisferi (generalmente il sinistro) presiede al linguaggio e domina la vita cosciente. Qual è allora la funzione dell'altro emisfero, legato da molteplici nessi all'emozione? Chi abita, chi ha abitato quell'«emisfero muto», del quale oggi riconosciamo di sapere così poco? La tesi di Jaynes è che l'emisfero destro sia stato abitato dalle *voci degli dèi* e che la struttura della «mente bicamerale» spieghi la nostra irriducibile divisione in due entità: divisione che un tempo fu quella fra «l'individuo e il suo dio». La coscienza, quale oggi la intendiamo, sarebbe dunque una forma recente, faticosamente conquistata, che si distacca dal fondo arcaico della «mente bicamerale». Con un'analisi serrata di testimonianze letterarie e archeologiche, soprattutto mesopotamiche, greche ed ebraiche, Jaynes disegna il profilo della «mente bicamerale» in quanto fonte dell'autorità e del culto, quale si è manifestata nella storia delle grandi civiltà. E, all'interno di essa, individua lo sviluppo di un'altra forma della mente, che prenderà il suo posto dopo un «crollo» dovuto a fattori interni ed esterni. Tale crollo separa per sempre il mondo arcaico da quello che diventerà il nostro. È questo il punto in cui Jaynes situa «l'avvento della coscienza» (intesa nel senso moderno), ultima fase di un lungo processo di «passaggio da una mente uditiva a una mente visiva». Ma la bicameralità della mente non per questo scompare: tutta la storia è traversata da una nostalgia verso un'*altra* mente, tutta la nostra vita psichica testimonia numerosi fenomeni, dalla possessione alla schizofrenia, che a quell'altra mente rinviano. Ciò che noi chiamiamo storia è «il

159

lento ritrarsi della marea delle voci e delle presenze divine». Ma la nostra mente a quelle voci e presenze continua a riferirsi, anche se non sa più come nominarle e ascoltarle. La dominanza dell'emisfero linguistico non riesce a cancellare l'altra metà del cervello. Così la coscienza continua a essere, come scrisse Shelley a proposito della creazione poetica, «un carbone quasi spento, che una qualche influenza invisibile, come un vento incostante, può avvivare dandogli un transitorio splendore», anche se «le parti coscienti della nostra natura non sono in grado di profetizzare né il suo approssimarsi né la sua partenza».

1984

«IL CONTE DI SAINT-GERMAIN»
DI ALEXANDER LERNET-HOLENIA

Lernet-Holenia «si muove con l'eleganza di un topo d'albergo in abito da sera, che vuol fare un colpo», scrisse Gottfried Benn. E quel «colpo» era un azzardo metafisico: costruire intrecci che avvolgano in ragnatele i mondi sovrapposti entro cui viviamo. Mai ciò è apparso così evidente come nel *Conte di Saint-Germain* (1948), il più vertiginoso fra i suoi intrecci, quello dove più chiaramente questo grande giocatore e avventuriero della narrazione ha accettato di giocare a carte scoperte. Secondo la leggenda, il conte di Saint-Germain è un immortale: figura equivoca e magica, traversa la storia del secolo XVIII e, da allora, riappare capricciosamente a punteggiare il corso degli eventi. Riappare anche nel titolo di questo romanzo, senza esserne però il protagonista. Saint-Germain è qui, piuttosto, lo spettro che abita queste pagine come un'antica dimora. Sarebbe vano accennare al profilo della storia che in esse si racconta, a tal punto è ricca e polifonica la sua articolazione. La scena è una Vienna torbida e raggelante, alla vigilia dell'annessione dell'Austria da parte della Germania di Hitler, «quell'orribile austriaco», come qualcuno lo definisce in società. Ma, all'interno di tale cornice, sembra aprirsi una voragine nel tempo, dove incontriamo il ricordo di un assassinio impunito, ma anche un processo a Pilato messo in scena da alcuni collegiali; un vaticinio del conte di Saint-Germain sulla fine della Casa d'Austria, mentre intorno si svolge la guerra dei Sette Anni; due figure femminili opposte ed enigmatiche; le architetture cifrate dei Templari; un vecchio suicida ripescato in uno stagno; l'occhio dei portieri impazienti di denunciare i loro padroni ai padroni del Nuovo Regime; reminiscenze di fatti lontani che affiorano in persone che non li hanno vissuti o non dovrebbero esserne a conoscenza. Su tutto, incombe un'ossessiva *metafisica del bastardo e del doppio*: il sospetto che l'unica forza capace di sopravvivere sia quella dello spurio, come se la Creazione stessa fosse figlia illegittima di un Dio. Dinanzi al protagonista, sembra «che ciò che esiste si stia ritraendo», mentre ciò che non esiste lo incalza sempre più da vicino. Al capezzale di una realtà che sta per scomparire – in questo caso un'intera civiltà – si affollano le larve di ciò che è stato e continua in segreto a operare. Tutto oscilla perennemente fra la mera inesistenza e una sorta di sovrarealtà – e quell'oscillazione non permette alcuna certezza, neppure quella del dubbio. Tale è il magistero di Lernet-Holenia nell'infiltrare l'invisibile nei pori del visibile che quando, alla fine, il protagonista morirà linciato da una folla di dimostranti, non sappiamo bene se a colpirlo non sia stata invece una torma di ricordi e di morti. Rare volte un romanzo, pur mantenendo una smaltata e invadente presenza dei fatti, dei volti e dei dettagli, è riuscito a scoprire davanti ai nostri occhi con altrettanta sicurezza e sveltezza di mano quel «gigantesco meccanismo d'orologeria» che è «l'orologio del destino».

1984

«NANDA IL BELLO» DI AŚVAGHOṢA

«Ebbro di forza, bellezza, giovinezza», Nanda teneva uno specchio dinanzi al volto dell'amata Sundarī, mentre lei si disegnava il trucco e giocavano insieme. Entrò nel palazzo un monaco per la questua. Nessuno lo vide, perché tutti si occupavano dei «passatempi amorosi e fatui del loro signore». Quel monaco era il Buddha, fratello di Nanda. Da quel momento, come un abile uccellatore, il Buddha comincia a tirare a sé la sua preda: *costringerà* il fratello alla Liberazione.

Nanda è perfetto esemplare dell'uomo naturale, nella sua versione più disarmante e incantevole. Fin dall'inizio splende di «maestà graziosa» e le strofe di Aśvaghoṣa ce lo raffigurano come un nobile animale in una foresta smaltata. Il richiamo alla Liberazione gli è affatto estraneo, tutto il suo essere recalcitra. Mentre si avvia dal fratello, «per indecisione non andava e non restava, come oca reale che nuoti sulle onde». Ormai non vede più Sundarī, che gli ha chiesto di tornare prima che il trucco si asciughi, ma gli trafigge il cuore un suono: è il «tintinnio delle cavigliere» di lei.

Eppure Nanda giungerà alla Liberazione. Ciò che Aśvaghoṣa ci mostra è la storia di un mirabile irretimento nella salvezza. *Le gesta del Buddha* e *Nanda il Bello* sono le due valve di una stessa conchiglia: ma le *Gesta* sono l'epos di una conquista, *Nanda* è il romanzo del viaggio di un uomo come tutti, anche se più bello di tutti, di là dal piacere, di là dal paradiso, di là dal deserto della trasmigrazione. Per un lettore di oggi, che è un uomo naturale come Nanda, anche se forse non vive come lui in un «nido di diletto e di gioia», quest'opera è l'occasione per seguire passo per passo un insegnamento che scompone e ricompone le parti della nostra mente, e della nostra vita, come un complicato giocattolo.

Aśvaghoṣa, amabile poeta, tessitore di immagini fragranti, scrisse quest'opera «mirante alla quiete interiore» obbedendo alla «legge dell'arte», perché il miele della poesia avvolgesse la salutare amarezza della dottrina e riuscisse ad «attirare i lettori che avessero mente ad altro».

1985

«I VENDICATORI ANGELICI»
DI KAREN BLIXEN

Questo romanzo, l'unico della Blixen, deve la sua origine alla guerra. La Danimarca era stata invasa dai nazisti e viveva in un'atmosfera di soffocante oppressione. Non vi era, per la scrittrice, nessun pericolo, ma questo rendeva ancora più umiliante il suo stato. Così la Blixen si sentì spinta a scrivere *I vendicatori angelici*: una metafisica del pericolo sotto forma di romanzo. Con suprema eleganza, si mise in maschera (assumendo lo pseudonimo Pierre Andrézel) per scrivere un romanzo di maschere. Come certi grandi compositori hanno depositato i loro ultimi segreti in studi per sciogliere la mano, volle nascondere l'essenza del Male in una tessitura ariosa e leggera di *feuilleton* pieno di colpi di scena. E, ben sapendo quanto lenti a capire questi camuffamenti siano in genere i lettori, volle porre in margine al libro, come avvertimento, alcune parole che nel romanzo stesso sono pronunciate da una delle sue incantevoli eroine: «Voi persone serie non dovete essere troppo severe verso gli esseri umani su come scelgono di divertirsi quando sono rinchiusi in una prigione e nemmeno è loro concesso di dire che sono prigionieri. Se non avrò presto un po' di divertimento, morirò».

Oggi, a distanza di quarant'anni dall'apparizione del libro (1944), possiamo renderci conto che questo inquietante *divertimento* è una delle opere più azzardate della Blixen e, nella sua ingannevole facilità, una delle più cifrate. La «prigione» a cui accennano quelle parole, ben più che la Danimarca occupata, è il mondo stesso. E quel divertimento la cui assenza provoca la morte è innanzitutto la letteratura nella accezione temeraria che sola era cara alla Blixen. Sarebbe ingiusto per l'autrice e per i lettori anticipare qui la trama di un libro che riesce a tenere avvinti nella notte come pochi altri, scritti da autori nobili. Ma basterà accennare qual è uno dei suoi più rari meriti: aver creato un'immagine convincente, chimicamente pura e romanzescamente vividissima, del Bene e del Male.

Due fanciulle vittoriane, Lucan e Zosine, si avvicinano alla vita come a un primo ballo e devono subito ingegnarsi per sfuggire alla tratta delle bianche. Fra le immagini del Bene che la letteratura ha saputo offrirci ben poche sono paragonabili, per adamantina e scintillante compattezza, a quella di Zosine, ragazza frivola e viziata, che sconfigge i camuffamenti del Male grazie a simulazioni ancora più grandiose: vera incarnazione del «coraggio aristocratico», quel coraggio che non si contenta di dare la vita per una causa, ma «ama il pericolo in sé». A specchio delle due fanciulle incontriamo la coppia infernale del falso reverendo Pennhallow e della sua falsa moglie. Molti diavoli e demoni della letteratura appariranno sbiaditi e innocui di fronte a questo maestoso genio del Male, che ama solo parlare, con voce melliflua, il linguaggio del Bene: figura del tutto adeguata a ricordarci che «il male è potente, un abisso, un mare profondo che non può essere vuotato con un cucchiaio, né da alcuna azione o provvedimento umano».

1985

«L'INSOSTENIBILE LEGGEREZZA DELL'ESSERE» DI MILAN KUNDERA

Protetto da un titolo enigmatico, che si imprime nella memoria come una frase musicale, questo romanzo obbedisce fedelmente al precetto di Hermann Broch: «Scoprire ciò che solo un romanzo permette di scoprire». Questa scoperta romanzesca non si limita all'evocazione di alcuni personaggi e delle loro complicate storie d'amore, anche se qui Tomáš, Tereza, Sabina, Franz esistono per noi subito, dopo pochi tocchi, con una concretezza irriducibile e quasi dolorosa. Dare vita a un personaggio significa per Kundera «andare sino in fondo a certe situazioni, a certi motivi, magari a certe parole, che sono la materia stessa di cui è fatto». Entra allora in scena un ulteriore personaggio: l'autore. Il suo volto è in ombra, al centro del quadrilatero amoroso formato dai protagonisti del romanzo: e quei quattro vertici cambiano continuamente le loro posizioni intorno a lui, allontanati e riuniti dal caso e dalle persecuzioni della storia, oscillanti fra un libertinismo freddo e quella specie di compassione che è «la capacità massima di immaginazione affettiva, l'arte della telepatia delle emozioni». All'interno di quel quadrilatero si intreccia una molteplicità di fili: un filo è un dettaglio fisiologico, un altro è una questione metafisica, un filo è un atroce aneddoto storico, un filo è un'immagine. Tutto è variazione, incessante esplorazione del possibile. Con diderotiana leggerezza, Kundera riesce a schiudere, dietro i singoli fatti, altrettante domande penetranti e le compone poi come voci polifoniche, fino a darci una vertigine che ci riconduce alla nostra esperienza costante e muta. Ritroviamo così certe cose che hanno invaso la nostra vita e tendono a passare innominate dalla letteratura, schiacciata dal loro peso: la trasformazione del mondo intero in una immensa «trappola», la cancellazione dell'esistenza come in quelle fotografie ritoccate dove i sovietici fanno sparire le facce dei personaggi caduti in disgrazia. Esercitato da lungo tempo a percepire nella «Grande Marcia» verso l'avvenire la più beffarda delle illusioni, Kundera ha saputo mantenere intatto il pathos di ciò che, intessuto di innumerevoli ritorni come ogni amore torturante, è pronto però ad apparire un'unica volta e a sparire, quasi non fosse mai esistito.

1985

Quando apparve *La letteratura come menzogna*
(1967), la scena letteraria italiana si presentava
piuttosto agitata. Lo spazio era diviso fra i di-
fensori di un *establishment* che vantava come glorie opere spesso mediocri e i propugnatori della «neo-avanguardia», i quali non si erano accorti che la parola «avanguardia» era stata appena colpita da una benefica senescenza. Per
ragioni di topografia e strategia letteraria, Manganelli fu assegnato (e si assegnò egli stesso) a
quest'ultimo campo. Nondimeno, sin dall'apparizione dei suoi primi scritti, si capì che la letteratura di Manganelli non apparteneva a quella battaglia dei pupi, ma rivendicava un'ascen-
denza più remota e insolente: quella della *letteratura assoluta*. Che cosa si dovrà intendere con
questa espressione? Tante cose diverse quanti
sono gli autori che, esplicitamente o no, la pra-
ticano. Ma un presupposto è per tutti comune:
si è dato, a un certo punto della nostra storia,
un singolare fenomeno per cui tutto ciò che e-
ra rigorosa ricerca e acquisizione di un *vero* –
teologico, metafisico, scientifico – apparve innanzitutto interessante in quanto materiale per
nutrire un *falso*, una finzione perfetta e onniav-
volgente quale è, nella sua ultima essenza, la
letteratura. A questo dio oscuro e severo andava offerto tutto ciò che sino allora aveva pre-
sunto di essere giustificato in se stesso. Di questa ambiziosa eresia si può supporre fossero cul-
tori, in secoli lontani, Callimaco o Góngora o
fors'anche Ovidio. Ma rimane il fatto che nes-

suno osò formularla sino a tempi recenti, quando i romantici tedeschi cominciarono a disarticolare con mano delicata ogni presupposto dell'estetica. Come il surrealismo non può dirsi assente anche da letterature lontane, e tuttavia occorreva che un giorno André Breton scrivesse il *Manifesto del surrealismo* perché la parola si divulgasse; così è accaduto che l'essenza menzognera della letteratura sia serpeggiata per anni in tante opere, sinché Manganelli decise, con gesto brusco e quasi burocratico, di presentarla allo stato civile. È dunque molto grave la responsabilità che si prese, dando quel titolo a una raccolta di saggi dove si parla di Carroll e di Stevenson, di Firbank e di Nabokov, di Dickens e di Peacock, di Dumas e di Rolfe. Ma era un gesto doveroso: lo avvertiamo tanto più oggi, a distanza di quasi vent'anni, constatando che certe argomentazioni non hanno più bisogno di essere confutate. Già le aveva infilzate il cavalier Manganelli con la sua lancia. È accaduto perciò a questo libro, in breve tempo, qualcosa di simile a quello che avviene a tanti bei libri in tempi più lunghi. Nascere come scandalo e sorpresa, e vivere poi tranquillamente con la forza silenziosa dell'evidenza.

1985

« QUADERNI, I »
DI PAUL VALÉRY

Per cinquantun anni, quasi ogni giorno, fra le quattro e le sette-otto del mattino, Paul Valéry

scrisse i suoi *Quaderni*: ne rimangono duecen-
tosessantuno, in totale circa ventisettemila pagine. Quando chi li scriveva avvertiva un qualche movimento nella casa, smetteva. Diventava
un altro, diventava Paul Valéry, l'illustre poeta
e saggista. Si era guadagnato il «diritto di essere stupido fino alla sera». Ma che cos'era *prima*?
Una pura attività mentale che scrive se stessa.
All'origine di Valéry c'è una folgorazione: la
scoperta dell'«impero nascosto» della nostra
mente. Prima di diventare parole e significati,
tutto ciò che ci succede è un evento mentale.
Valéry volle essere uno «strumento d'osservazione» di questa scena mentale, uno strumento del quale si imponeva di «aumentare la precisione».
A tale folgorazione, in sé perfettamente neu-
tra, Valéry tenne fede per tutta la vita, come fosse stata una illuminazione religiosa. Più che di
poesia o di filosofia o di scienza, era interessa-
to a *fare la sua mente*. «Gli altri fanno libri, io
faccio la mia mente». Dalla specola dei *Quaderni*, poesia o filosofia o scienza non sono che
punti di applicazione di quella «cultura psichica senza oggetto» dove chi pensa non ha neppure un nome o un'identità, ma è lo spaccato
di una serie di eventi della coscienza. E la scrittura li registra, studia, combina, come fossero
un'algebra. Opposto per natura all'«intima ri-
dicolaggine» del Sistema, il procedimento di
Valéry nei *Quaderni* è un inarrestabile «lavoro
di Penelope..., giacché consiste nell'uscire dal
linguaggio ordinario e ricadervi, uscire dal linguaggio – in generale – vale a dire dal – pas-

saggio e ritornarvi». Immense sono le scoperte a cui Valéry è giunto nella sua assidua, silenziosa esplorazione dell'«impero nascosto». Ma la loro prima caratteristica è che non possiamo elencarle come teoremi o concetti. Per capirle, bisogna ripercorrere i passi dell'esploratore, bisogna entrare nella pelle di quel *procedimento*, di quegli «esercizi». La loro potenza potrà essere constatata da ogni lettore: chiunque sia stato mentalmente contagiato dal procedimento di questi *Quaderni* non potrà più disfarsene per la vita: diventerà una seconda natura della sua coscienza, una seconda mente, che aspettava di essere svegliata – e viene risvegliata dalle innumerevoli ore di veglia lucida, ignorata da tutti, di quella mente che si chiamò Paul Valéry.

1985

«LA RIBELLIONE DEL NUMERO»
DI PAOLO ZELLINI

«Noi siamo di razza divina e possediamo il potere di creare» scriveva in una lettera del 1888 un grande matematico, Julius Dedekind. Quella frase corrisponde a un clima di generale ebbrezza ed euforia che regnava allora nella matematica. Con le geometrie non-euclidee di Lobačevskij e Riemann, con i numeri transfiniti di Cantor sembrava che si fossero dischiuse le porte di un «paradiso» senza confini, pullulante di inaudite «entità mentali», le quali sussistevano le une accanto alle altre, obbedendo all'unica con-

171

dizione di non essere contraddittorie. Poi, improvvisamente, nel giro di pochi anni, fra il 1897 e il 1901, cominciarono ad affiorare i primi «paradossi», che segnalavano altrettanti vicoli ciechi nella teoria degli insiemi e nella nuova costruzione logico-matematica di Russell. Era la prima avvisaglia di una devastante «ribellione del numero»: come se la formula rivelasse di avere una natura propria, magari incompatibile con quella della mente che l'aveva appena esplicitata. La prima tentazione, nei matematici, fu quella di scrollarsi di dosso, in quanto irrilevanti, tali fastidiose difficoltà. Anzi, proprio nei primi decenni del secolo assistiamo allo svilupparsi della sfida più ambiziosa mai sostenuta dalla matematica: il progetto di assiomatizzazione totale di Hilbert. Ma presto anche quella grandiosa impresa mostrò le sue crepe. Infine, la tarda e definitiva vendetta dei paradossi venne nel 1931 con il teorema di Gödel, che di quei paradossi dimostrava l'insuperabilità. Da allora si può dire sia successo, per la «crisi dei fondamenti», quello che è avvenuto per tante altre scoperte del Moderno: ciò che si era presentato come drammatica e angosciosa novità è diventato parte della vita normale. Le sabbie mobili che un giorno paralizzavano di paura sembra siano diventate un parco pubblico, dove accorti giardinieri hanno disegnato viottoli che permettono di evitare i punti dove si sprofonda *subito*.

Ricostruire questa storia, da Cantor a oggi, significa attraversare una delle più affascinanti selve intellettuali che si conoscano. Zellini si è azzardato a farlo, e la sua esposizione ha la stessa felice perspicuità, oltre che la stessa originalità di prospettiva, che già si erano osservate nel suo primo libro, *Breve storia dell'infinito* (1980). La storia che qui si narra non è, ovviamente, una storia chiusa, né il suo senso potrebbe essere univoco. Anzi, si tratta della riemersione, nella quotidiana pratica matematica, di alcuni interrogativi che, a partire da Platone, ossessionano il pensiero: può la mente costruirsi tutto ciò che vuole, purché rispetti le regole che essa stessa si pone? E avranno queste invenzioni davvero lo stesso valore, oltre che la stessa origine? O non sarà che i *veri* concetti «offrono in fin dei conti l'aspetto di veri fatti naturali preesistenti in qualche modo alla loro spiegazione» (Le Roy)? E allora il matematico, ben lungi dall'essere un *libero* creatore, non apparirà forse come un geografo dell'invisibile?

1985

« IL MITO PSICOLOGICO NELL'INDIA ANTICA »
DI MARYLA FALK

Quest'opera è una delle più importanti che si possano leggere per avvicinarsi al segreto dell'India arcaica – l'India del *Ṛg Veda*, dei *Brāhmaṇa*, delle *Upaniṣad*. In questi testi per la prima volta sentiamo la voce di un pensiero metafisico, cifrata in simboli, allusioni, prescrizioni rituali. Ma qual è la differenza fra questa voce e, per esempio, quella dei primi pensatori greci?

173

È una differenza sottile ed essenziale, fondamento di ogni ulteriore divaricarsi fra Oriente e Occidente. Forse nessun libro come questo di Maryla Falk individua e descrive quella differenza con tanta limpidezza e precisione. In una trattazione ricca di dottrina e intessuta alle fonti, la Falk ci fa entrare nelle vene di questo pensiero non *rappresentante* (come tutto il pensiero occidentale), ma *identificante*, teso a «diventare il Tutto, intuendo il Tutto». Ma come si può percorrere questa via azzardata ed esaltante dell'identificazione? Per i veggenti vedici, innanzitutto, l'atto del conoscere aveva una stupefacente concretezza. Il loro pensiero, prima ancora di parlare del mondo, parla del pensiero stesso, che è più vasto del mondo e lo ingloba. È la mente che qui comincia a parlare della mente, ma «opera con entità mitiche in luogo di concetti»: da qui l'immane profusione di immagini, che rimangono impenetrabili a chi non ne conosca la cifra: a chi, per esempio, non sappia che le «acque» dell'oceano luminoso, fluenti al di sopra della volta celeste, sono le stesse che ondeggiano nell'«oceano del cuore», le acque del *kāma*, del «desiderio», le acque ardenti della psiche. Così sorge il «mito psicologico» nell'India antica: «mentre le forme antiche del mito naturistico attribuivano valore umano, psichico, ai processi cosmici, il nuovo mito psicologico viene a attribuire valore cosmico, universale, ai fatti psichici: mercé un'unica esperienza che fa coincidere interamente le due sfere». Che cosa fosse questa «unica esperienza» è raccontato, con esoterica discrezione, nei testi: la scoperta dell'*ātman*, scoperta che, da sola, basta a definire l'India. Chiuso in quel «luogo celato» che è la «cavità del cuore», c'è un granello, «più piccolo di un grano d'orzo», quasi impercettibile nella sua piccolezza, che improvvisamente può espandersi in una vastità smisurata, può invadere lo spazio, coprirlo, avvolgerlo: quello è l'*ātman*, la beata vastità di cui l'universo è solo una parte, la zampa del cigno immersa nell'acqua. Poggiando sull'esperienza dell'*ātman*, il pensiero indiano si è spinto successivamente verso due conclusioni opposte: da una parte la più radicale affermazione della vita, quale traspare da tanti inni vedici; dall'altra la più radicale negazione della stessa, implicita in certe *Upaniṣad* che già presentano lo stampo dove si calerà il buddhismo. Da una parte intravediamo gli ardenti sacrificatori delle origini: «avidi di beni, mai appagati di potere, dagli odi violenti e dai desideri insaziabili: così ci compaiono dinanzi gli uomini vedici nei loro inni». Ma dall'altra parte, fra le righe delle *Upaniṣad*, riconosciamo anche una tutt'altra figura: il rinunciante, colui che ha abbattuto l'ascia sul tronco del desiderio e dal mondo si distacca con gesto drastico. Questi sono i due estremi fra cui si muove il pensiero indiano. Per aiutarci a intendere come e perché avvenne questa oscillazione, e come si riprodusse per secoli in molteplici variazioni, il libro della Falk è tuttora indispensabile. Queste pagine offrono «uno squarcio della storia interiore di quei vati ignoti che cantavano le origini dell'universo e le andavano cercando nei propri cuo-

ri; e dei loro eredi che in tradizioni secolari con-
tinuarono la via da quelli tracciata. Dove sboc-
cò questa via è noto: ma fu non per ultima la
troppa pienezza di vita che li condusse a quella
condanna finale della vita».

1986

«GIARDINO, CENERE»
DI DANILO KIŠ

Profumo di vaniglia e semi di papavero, un vas-
soio nichelato con sottili mezzelune lasciate dal
fondo dei bicchieri, piccoli tram azzurri, gialli
e verdi che si rincorrono tintinnando, il can-
cello di un parco dietro il quale spuntano cervi
e cerve, «come ragazzini di buona famiglia di
ritorno dalla lezione di piano». All'inizio di questo romanzo c'è un pullulare di sensazioni, una
nube tattile, olfattiva, onirica, che si sposta in
una cauta esplorazione del mondo, come l'occhio del bambino Andreas, il narratore. La parola «morte» trafigge questa nube, è un numero fatale stampato sul buio. E il bambino gioca
con il sonno, gli tende agguati, in preparazio-
ne alla grande lotta con la morte. Aveva deciso
di «assistere un giorno consapevolmente alla venuta della morte e così vincerla», e nell'attesa
voleva sorprendere l'angelo del sonno.
Intorno ad Andreas, vediamo la sorella Anna,
che piange la sera perché il giorno è finito e non
torna più; e la madre Marija, seduta davanti a
una imponente macchina da cucire Singer di

ghisa nera. E soprattutto vediamo, seppure soltanto in apparizioni imprevedibili e balzane, il padre Eduard Sam, ispettore delle ferrovie a riposo, ma in realtà *trickster* decaduto, che non dispone più di molti poteri, eppure è ancora aureolato di eventi prodigiosi e irrisori. Autore di un *Orario delle comunicazioni tranviarie, navali, ferroviarie e aeree* che, arricchendosi di edizione in edizione, si trasforma in opera interminabile, come una mappa che volesse coincidere con il territorio rappresentato, Eduard usa mostrarsi con bombetta e redingote imbrattata, e sfida l'iniquità del mondo dietro occhiali con montatura metallica, stringendo in pugno un bastone. Compreso della sua vocazione di mistificatore, non è mai se stesso, ma il nebbioso ricordo di qualcos'altro, e il giovane Andreas, fantasticatore selvaggio, percepisce in lui la compresenza di molte vite: «Ed eccolo, mio padre, seduto nel carro accanto a una giovane zingara dalle poppe rigonfie, maestoso come il principe di Galles o, se volete, come un *croupier* o come un *maître d'hôtel* (come un illusionista, come un impresario di circo, come un domatore di leoni, come una spia, come un antropologo, come un maggiordomo, come un contrabbandiere, come un missionario quacchero, come un sovrano che viaggi in incognito, come un ispettore scolastico, come un medico di campagna e, infine, come un commesso viaggiatore, rappresentante di una compagnia occidentale per la vendita dei rasoi di sicurezza)». Un giorno, in un raro momento di sobrietà, Eduard accenna al figlio il suo segreto: «Non è possibile, giovanotto mio, e questo ricordatelo per sempre, non è possibile recitare la parte della vittima per tutta la vita senza diventarlo alla fine davvero». La storia si incaricherà presto di avverare la profezia.

In una continua osmosi di sensazione e visione, questo romanzo raggiunge una precisione evocativa che penetra nelle fibre della mente, in un modo che ricorda Bruno Schulz. Qui, come una splendida carovana di stracci e paccottiglia, ci sfila davanti il mondo saturo di esperienze dell'Europa centrale mentre sta per abbandonarsi alla morte, visto con gli occhi del bambino sognatore e ribelle che alla morte voleva dare scacco.

1986

« L'UOMO CHE SCAMBIÒ SUA MOGLIE PER UN CAPPELLO » DI OLIVER SACKS

Oliver Sacks è un neurologo, ma il suo rapporto con la neurologia è simile a quello di Groddeck con la psicoanalisi. Perciò Sacks è anche molte altre cose: «Mi sento infatti medico e naturalista al tempo stesso; mi interessano in pari misura le malattie e le persone; e forse anche sono insieme, benché in modo insoddisfacente, un teorico e un drammaturgo, sono attratto dall'aspetto romanzesco non meno che da quello scientifico, e li vedo continuamente entrambi nella condizione umana, non ultima in quella che è la condizione umana per eccellenza, la malattia: gli animali si ammalano, ma solo l'uomo cade radicalmente in preda alla malattia». E anche questo va aggiunto: Sacks è uno scrittore con il quale i lettori stabiliscono un rapporto di tenace affezione, come fosse il medico che tutti hanno sognato e mai incontrato, quell'uomo che appartiene insieme alla scienza e alla malattia, che sa far parlare la malattia, che la vive ogni volta in tutta la sua pena e però la trasforma in un «intrattenimento da *Mille e una notte*». Questo libro, che si presenta come una serie di casi clinici, è un frammento di tali *Mille e una notte* – e ciò può aiutare a spiegare perché abbia raggiunto negli Stati Uniti un pubblico vastissimo. Nella maggior parte, questi casi – ma Sacks li chiama anche «storie o fiabe» – fanno parte dell'esperienza dell'autore. Così, un giorno, Sacks si è trovato dinanzi «l'uomo che scambiò sua moglie per un cappello» o «il marinaio perduto». Si presentavano come persone normali: l'uno illustre insegnante di musica, l'altro vigoroso uomo di mare. Ma in questi esseri si apriva una voragine invisibile: avevano perduto un pezzo della vita, qualcosa di costitutivo del *sé*. Il musicista carezza distrattamente i parchimetri credendo che siano teste di bambini. Il marinaio non può neppure essere ipnotizzato perché non ricorda le parole dette dall'ipnotizzatore un attimo prima. Che cosa vive, se non sa nulla di ciò che ha appena vissuto? Rispetto alla normalità, che è troppo complessa per essere capita, e tende a opacizzarsi nell'esperienza comune, tutti i «deficit» o gli eccessi di funzione, come li chiama la neurologia, sono squarci di luce, improvvisa trasparenza di processi che si tessono nel «telaio incantato» del cervello. Ma queste storie terribili e appassionanti tendono a rimanere imprigionate nei manuali. Sacks è il mago benefico che le riscatta, e per pura capacità di identificazione con la sofferenza, con la turba, con la perdita o l'infrenabile sovrabbondanza riesce a ristabilire un contatto, spesso labile, delicatissimo, sempre prezioso per i pazienti e per noi, con mondi remoti altrimenti muti. Questo è il libro di un nuotatore «in acque sconosciute, dove può accadere di dover capovolgere tutte le solite considerazioni, dove la malattia può essere benessere e la normalità malattia, dove l'eccitazione può essere schiavitù o liberazione e dove la realtà può trovarsi nell'ebbrezza, non nella sobrietà».

1986

« LE ORIGINI DELLA FRANCIA CONTEMPORANEA.
L'ANTICO REGIME »
DI HIPPOLYTE TAINE

Le origini della Francia contemporanea di Taine è una delle opere più importanti e – osiamo dirlo – più belle della storiografia contemporanea, ma anche una delle meno frequentate; tant'è che per decenni è stata irreperibile nel paese di cui qui si parla. Taine concepì le *Origini*, a cui dedicò gli ultimi ventidue anni della sua vita (quando morì doveva ancora scrivere gli ultimi tre capitoli), dopo aver patito i disastri della guerra franco-tedesca del 1870. Allora riaffiorò in lui una sensazione che aveva avuto nel 1849, ai tempi in cui era sottoposto alla crudele ascesi dell'École Normale. Davanti alle prime elezioni in cui avrebbe potuto votare decise di astenersi, così ragionando: «Sì, per votare dovrei conoscere lo stato della Francia, le sue idee, i suoi costumi, le sue opinioni, il suo avvenire. Perché il vero governo è quello che conosce la civiltà di un popolo». Nella Prefazione alle *Origini*, Taine si ricordò di quel momento: ma ora, dopo tanti anni, era in grado di darsi una risposta: «Bisogna sapere come questa Francia si è fatta o, meglio ancora, assistere da spettatori alla sua formazione». Questa formula è l'accenno più esplicito a quel progetto di *storia totale* a cui Taine si dedicò. Rispetto allo sguardo di Michelet, per il quale la storia era innanzitutto una «resurrezione», una smisurata evocazione allucinatoria, quello di Taine pretende di essere più freddo, affine a quello di un entomologo che osserva le metamorfosi di un insetto. Così almeno dichiara Taine stesso. Ma le dichiarazioni di intenti che costellano le sue celebri prefazioni sono state per lui quanto mai pericolose e svianti. Alcune di quelle formule («la razza, l'ambiente, il momento» o «il vizio e la virtù sono dei prodotti come il vetriolo o lo zucchero») si sono fissate nella mente dei lettori e hanno finito per sostituirsi alle sue opere, finché le opere caddero in disaffezione e rimase soltanto memoria delle formule. Lo sguardo dell'entomologo non segnala in Taine una supposta freddezza scientifica, ma quello scarto rispetto al reale che è proprio di tutti i grandi della *décadence*. Questo infatti fu Taine innanzitutto, come riconoscevano i suoi commensali ai *dîners chez Magny*, o certi suoi ammirati lettori della generazione successiva, come Nietzsche o Bourget. Rispetto a Michelet, Taine dunque non si oppone come l'osservazione sobria all'allucinazione, ma come l'allucinazione della *décadence* alla allucinazione romantica. Per un verso la mente di Taine è sistematica, inquisitiva, vuole scoprire le cause, ricostruire punto per punto come mai l'antico regime dette luogo alla mutazione rivoluzionaria, e poi al regime borghese. Ma per un altro verso Taine è un grande scrittore, incognito persino per se stesso: vuole dare forma, rappresentare, per il puro piacere della forma, come Flaubert. Questa tensione attraversa tutta l'opera di Taine, e talvolta l'ha tarpata. Ma nelle *Origini* avviene il contrario: i due poli si potenziano a vicenda, la tensione si esalta, in evidenza spiccano sia la nervatura intellettuale sia lo splendore della rappresentazione. Dall'*Antico regime* ci viene incontro, con imponente nettezza, la sensazione di un organismo che respira, desidera, odia, si abbandona alle sue cerimonie, ai suoi passi di danza, ai suoi capricci, ai suoi rancori. Chi vuole avvertire subito il sapore penetrante, improbabile ed effimero del Settecento francese non ha che da aprire una qualsiasi pagina dell'*Antico regime*. In breve, ciò che Taine ci offre è la fisiologia di una civiltà.

1986

Molti hanno detto che la grande letteratura russa comincia con questo libro, con la sua dolorosa asprezza, con la forza del nominare che Avvakum aveva e si trasmise poi, per vie misteriose, a scrittori così diversi come Puškin e Tolstoj. Avvakum visse nella tempesta religiosa del Seicento russo, che culminò nello scisma. La sua parte era quella del perdente, la parte dei *raskolniky,* i «Vecchi Credenti», contrari a ogni correzione dei testi sacri e a ogni grecizzazione nella liturgia e nella dottrina. Allora la Russia si spaccò in due, e quella spaccatura si prolungò per tutta la sua storia, sino alle dispute fra occidentalisti e populisti nell'Ottocento, fino a oggi.

Rinchiuso nei sotterranei di una gelida prigione, prima di morire Avvakum volle lasciare testimonianza della sua vita – o meglio di come Dio operò su di lui in certi punti della sua vita, e soprattutto nella lotta testarda contro coloro che «col fuoco, con il knut e col capestro vogliono affermare la fede». È una storia di incessanti violenze, dove i contrasti teologici si manifestano a pugni, a calci, a frustate, fra lingue strappate, sepolti vivi, roghi, saccheggi, persecuzioni, fughe nell'immensità asiatica. La vita di Avvakum è come un unico naufragio, dove a sprazzi intravediamo l'arciprete aggrappato a qualche relitto di chiatta: «Fiume renoso, ci si affonda dentro, zattere pesanti, sorveglianti spietati, nodosi i bastoni, secche le sferzate, tagliente il knut, torture crudeli, il fuoco e i tratti di corda». Vi è in lui una carica primordiale, che non si lascia esaurire. Tutto il suo fervore spirituale è intensamente fisico. Si azzuffa con i demoni come fossero cani e il diavolo lo guarda seduto sulla stufa. Un giorno, sfinita sul ghiaccio, l'arcipretessa si rivolge a Avvakum: «"Quanto durerà questo tormento, arciprete?". Rispondo: "Markovna, fino alla morte". Al che lei: "Va bene, Petrovič: tireremo ancora avanti"». Questo dialogo è sigillo della storia russa e del suo spirito. Dopo una vita di tumultuose peripezie, Avvakum finì sul rogo. Dice la leggenda che per sette volte lo zar ordinò il supplizio di Avvakum, e per sette volte, mentre il boia preparava il rogo, lo zar e la zarina caddero malati, e intimoriti mandarono un messo per annullare la pena. Per chi apra oggi le pagine di questa *Vita* non vi è migliore accompagnamento delle parole di Andrej Sinjavskij: «Su Avvakum non si possono fare tanti discorsi: su di sé ha già detto tutto lui, si è ficcato come un orso nella sua tana e l'ha riempita tutta».

1986

«LA VITA ASSASSINA»
DI FÉLIX VALLOTTON

Jacques Verdier, il protagonista di questo romanzo, è un antieroe del male. Dopo un secolo di figure luciferine, che cercavano testardamente il male, Vallotton ha creato un personaggio che è accompagnato dal male come da un'ombra, o un aroma, ma certamente non lo vuole. Anzi, Verdier in genere vuole poco. È un giovane di provincia calato a Parigi, che si scopre quasi per caso una vocazione di storico dell'arte. La sua esistenza si svolge su scenari prevedibili della metropoli, fra bordelli, salotti, caffè e redazioni. Ma Verdier sa di celare un grave segreto: il male è suo ospite perenne, e dalle sue mani si trasmette alle più varie creature che gli vengono incontro. Un'ironia sinistra avvolge tutte le sue vicende, avvicinando amore e assassinio sino a farli diventare dei «quasi sinonimi». Si direbbe che in Verdier il volto assassino della natura si sia scelto un rappresentante, e si compiaccia beffardamente del suo aspetto poco vistoso e innocuo. Ma è davvero innocente Verdier? Quanto più lo proclama, tanto più insospettisce. E esiste davvero Verdier?

Vista dall'esterno, la sua storia è quella di un giovane e promettente studioso d'arte. Vista dall'interno, è una vita che obbedisce a un «codice di carneficina e di sangue», mentre un «cappio di fatalità» lentamente la strozza. Ma, e questo è il paradosso del romanzo, che Vallotton fa giocare magistralmente, la vita nefasta di Verdier non è percepibile da nessuno salvo da Verdier stesso e dal lettore che ascolta le sue confessioni. E questo crea un divario fra esterno e interno che conferisce al racconto una vibrazione di cupa ilarità. Come nella sua opera di pittore, Vallotton mostra in questo romanzo di essere attratto dall'oltraggioso e dall'urtante. E applica d'istinto quella esautorazione del sog-

185

getto che rivendicavano i cavalieri della *décadence*, da Nietzsche a Rémy de Gourmont. Così si precisa davanti ai nostri occhi, con lo stesso tratto che ci era noto dai disegni di Vallotton, il profilo di una storia sottilmente ossessiva: la cronaca di un «insabbiamento in un orrore molle».

1987

«POICHÉ ERO CARNE»
DI EDWARD DAHLBERG

Edward Dahlberg è stato un irriducibile eccentrico della letteratura. Fin dalla sua giovinezza in America, passata fra avventure di vagabondo e il meglio della letteratura di quegli anni (D.H. Lawrence fu il suo padrino letterario), aveva qualcosa di ispido e brado rispetto ai suoi amici e nemici. Poi, col tempo, apparve il suo segreto: Dahlberg è l'unico americano del secolo che abbia immerso nella sua prosa l'incanto dei grandi classici, greci e latini, riscoperti come da un barbaro. Il risultato è sorprendente: così la Kansas City dove, in questo libro, che è il suo più bello, la madre dell'autore tira avanti una vita difficile facendo la barbiera e la callista, questa «città selvaggia, concupiscente, dove quasi nessuno pensa alla morte finché non è vecchio o malato», raggiunge nelle sue parole la dimensione di un epos miserabile e solenne: «Cataloghi pure Harma il bardo di Smirne, le scogliere e anfratti di Itaca, le vergini nutrite di latte dell'Acaia, Tisbe coi suoi stormi di colombi o i boschi di Onchesto; io canto le strade intitolate alle Querce, ai Noci, ai Castani, agli Aceri e agli Olmi. Ftia era un silos di frumento, Kansas City una florida fattoria di grano. Forse le puttane dei quartieri bassi di Corinto, Efeso o Tarso sapevano congegnare un gemito o sospirare più svelto di quanto potessero farlo le cosce con fossette delle ragazze di St. Joseph o Topeka?».

Centrale, in questo libro, è il personaggio della madre, «figura umile e favolosa, picaresca e antica, toccante e insopportabile, che non ha rivali nella letteratura americana di questi anni» (Paolo Milano). Intorno a lei ronzano come mosche le disavventure, gli amanti malandrini, i pochi denari e i molti desideri. Ma una prorompente, carnale vitalità la trascina, «di qua e di là al capriccio del vento» – e si trasmette infine alla prosa del figlio, che di lei ci ha lasciato un ritratto «implacabile, dettagliato, amorevole, come un tardo Rembrandt» (Herbert Read).

1988

« DA MOTIVI ORIENTALI »
DI VASILIJ ROZANOV

Nell'aprile del 1916, compiendo sessant'anni nella Pietroburgo scossa dalla guerra e presto dalla rivoluzione, Rozanov volle celebrare la ricorrenza con «i suoi cari», cioè con i suoi lettori, «condividendo con loro le cose che mi stan-

187

no più a cuore...»: in questo caso, l'Egitto. Ma l'Egitto di Rozanov, quale qui si presenta, è eccentrico e sorprendente come tutte le sue visioni. Rozanov, il più pagano fra gli scrittori cristiani, trova in questa remota civiltà il luogo originario dei misteri del sesso e della vita, e ad essi dedica un'ultima meditazione. L'andamento della sua prosa è ondoso, sinuoso, debordante, invadente: il lettore ne sarà subito avvolto, invischiato, affascinato, come affascinati furono tanti grandi scrittori russi, dalla Cvetaeva a Sinjavskij, che ne hanno subìto una profonda influenza.

Per Rozanov, l'Egitto è il talamo, la stanza nuziale dell'umanità. È la terra sopra la quale ancora pulsa il cielo stellato, che poi scompare e lascia un immenso vuoto sopra la nostra testa. Insofferente di ogni gabbia concettuale, Rozanov fu l'inesauribile cantore della fisiologia, colui che più avvicinò la prosa al puro respiro. E la scaturigine della fisiologia è il sesso: «Il legame del sesso con Dio è più grande di quello dell'intelligenza o perfino della coscienza con Dio». Nelle piante di loto, nel limo egizio Rozanov riconosceva l'elemento primordiale a cui voleva riavvicinarsi. «Il segreto e il miracolo, la profondità e l'incanto della civiltà egizia consistono in questo: "nella crescita spontanea della pianta dal suo seme". E se il seme è la pianta, essa *cresce* dovunque, perché è tale il destino delle piante. Senonché presso alcuni popoli la pianta cresce "a dovere", presso altri cresce "a richiesta". O anche – "secondo una generica aspettativa". Al contrario, presso gli egizi nessuno "si aspettava", nessuno "richiedeva" e "faceva" alcunché: essi erano i primi. Perciò "la pianta cresceva spontaneamente". Tutto è "primordiale" nel loro caso, tutto "ribolle nella propria linfa"». A questo Egitto, con audacia che si proponeva di far rabbrividire i dotti, Rozanov riconduce anche tutto il mondo dell'Antico Testamento, mentre la Grecia e la cristianità tendono a distaccarsene. Ma, nella sua continua, provocatoria paradossalità, Rozanov non chiede un'adesione puntuale ai suoi argomenti. Aspira soltanto a ritrovare una certa pulsazione della vita. «Un po' di fisiologia. Altrimenti tutto è molto arido...».

1988

« IL RESPIRO »
DI THOMAS BERNHARD

Come in un'allucinazione, il diciottenne Thomas Bernhard si risveglia un giorno in «un lungo corridoio» con una «infinita serie di stanze, aperte e chiuse, popolate da centinaia se non migliaia di pazienti». È l'ospedale dove Bernhard lotterà per sopravvivere a una grave malattia polmonare. Ed è una delle più nette immagini di «inferno» che Bernhard, maestro nella precisione dell'orrore, ci abbia trasmesso. Qui, in una stanza da bagno dove una suora passa ogni mezz'ora per alzare il braccio del paziente e sentire se ancora si avverte il polso, Bernhard decide di non permettere che gli uomini della

189

sala anatomica con le loro bare di zinco vengano a prenderlo, insieme agli altri morti, come
«sgomberando un magazzino di marionette».
Decide di vivere. È un momento spartiacque:
nella massima inermità, la massima determinazione. Così comincia una traversata delle regioni di confine fra la vita e la morte che è diventata poi, non solo un passaggio cruciale nella vita di Thomas Bernhard, e non solo questo libro,
altrettanto cruciale, ma l'opera intera di Bernhard, che qui si mostra nei suoi due gesti origi-
nari: la testarda determinazione di vivere e la
conoscenza immediata, quasi tattile, della morte: «Qui, in questo trapassatoio, io mi ero imposto di non abbandonarmi alla disperazione,
semplicemente dovevo lasciare che la natura
umana, la quale si palesava qui, come probabilmente in nessun altro luogo, con assoluta brutalità, facesse il suo corso».

1989

«L'ABBANDONO ALLA PROVVIDENZA DIVINA»
DI JEAN-PIERRE DE CAUSSADE

Se dovessimo indicare il libro occidentale più
affine alla sapienza cinese del *Tao tê ching* o di
Chuang-tzu, sarebbe questo di Jean-Pierre de
Caussade. Qui troviamo, in termini naturalmente del tutto diversi, una percezione quanto mai
netta di quella corrente nascosta e indomina-
bile che circola nel mondo e i Cinesi chiamaro-
no Tao. Per Caussade, tale è la corrente da cui

si lascia sommergere chi pratica «l'abbandono alla Provvidenza divina». Jean-Pierre de Caussade fu un oscuro gesuita che negli anni fra il 1730 e il 1740 operò come direttore spirituale di alcune religiose di Nancy. Parte di questa sua opera assumeva forma epistolare. E furono le religiose stesse a compilare, sulla base di queste lettere, il trattatello che qui presentiamo, di cui apparve la prima edizione nel 1861. Da allora, questo testo è diventato un classico della spiritualità cristiana. La sua fisionomia, per molti tratti, è unica. Per i lettori di oggi, il primo elemento che vi spicca è la perspicacia psicologica. E per molti queste pagine potranno essere più utili e vivificanti di ogni altra forma più moderna di «cura dell'anima». Questo infatti è un libro che, come pochi altri, aiuta a vivere. Con estrema dolcezza, Caussade dice cose audacissime. La sua conoscenza dell'anima è stupefacente, come nei grandi moralisti francesi. Ma solo a lui appartiene l'insegnamento che sa guidarci a trovare il «grano di senape» dell'abbandono – questa virtù suprema – in ogni luogo e in ogni momento, poiché «l'azione divina inonda l'universo, penetra tutte le creature, le sommerge».

1989

« LETTERA AL MIO GIUDICE »
DI GEORGES SIMENON

«Vorrei tanto che un uomo, un uomo solo, mi capisse. E desidererei che quell'uomo fosse lei».

191

Così si rivolge il narratore, all'inizio di questo romanzo, al suo giudice – e insieme a ogni lettore. La storia che segue è una storia di amore e di morte, carica di intensità, esaltazione e angoscia. È la storia di un uomo che si sente trascinato a uccidere una donna perché la ama troppo. Lo sfondo: stazioni gocciolanti di pioggia, bar, piccoli alberghi della provincia. Agente provocatore: il caso, che fa apparire una ragazza minuta, pallida, arrampicata su alti tacchi, nella vita di un medico, uomo «senza ombra», la cui esistenza, così normale, si avvicina sempre più al confine con l'inesistenza. E quella donna è l'ombra stessa, qualcosa di oscuro e lancinante al di là di ogni ragione, che conduce tranquillamente alla morte. Queste le ultime parole della confessione: «Siamo arrivati fin dove abbiamo potuto. Abbiamo fatto tutto quello che potevamo. Abbiamo voluto l'amore nella sua totalità. Addio, signor giudice».

1990

«IL NOMOS DELLA TERRA»
DI CARL SCHMITT

Del *Nomos della terra* si potrebbe dire che sta al diritto internazionale e alla filosofia politica del nostro tempo come *Essere e tempo* di Heidegger sta alla metafisica: opere inevitabili, che faranno sempre discutere e alle quali sempre si tornerà. Carl Schmitt pubblicò questo libro nel 1950, quando ancora si trovava in una posizione di totale isolamento in Germania. Ma proprio in quest'opera, che è un po' la *summa* del suo pensiero giuridico e politico, si sollevò nettamente al di sopra di ogni contingenza. E questo gli permise di aprire la prospettiva su fatti che in quegli anni erano impensabili: per esempio il terrorismo o la guerra civile globale come agenti decisivi del futuro. A questi risultati Schmitt giunge attraverso una disamina minuziosa delle varie teorie che sono apparse nell'epoca aurea dello *jus publicum Europaeum*, dimostrando una volta per tutte che, per sfuggire alla furia delle guerre di religione, il gesto salutare è stato la rinuncia allo *justum bellum*. Di conseguenza, il delicato passaggio dalla *justa causa belli* allo *justus hostis* ha reso possibile «il fatto stupefacente che per duecento anni in terra europea non ha avuto luogo una guerra di annientamento». In quel breve intervallo lo *jus publicum Europaeum* si combinava con l'avviarsi del funzionamento della *machina machinarum*, «prima macchina moderna e insieme presupposto concreto di tutte le altre macchine tecniche»: lo Stato moderno. Allora la «guerre en forme», questo gioco crudele, salvato però dal rigore della sua regola, conferiva una nuova unità a un certo ambito spaziale (una certa parte dell'Europa) e lo faceva coincidere con il luogo stesso della civiltà. Poi il gioco si frantuma dall'interno: nell'agosto 1914 comincia una guerra che si presenta come tante altre dispute dinastiche – e invece si rivela subito essere la prima guerra tecnica, che nega già nel suo apparato ogni possibilità di «guerre en forme».

Così emerge anche la guerra rivoluzionaria, variante finale della guerra di religione, sigillo delle guerre civili. La forma moderna della verità, la più efficace, la più distruttiva, è tautologica: ciò che è rivoluzionario è giusto perché è rivoluzionario: con ciò si ripropone e trova sbrigativa risposta la questione della *justa causa belli*.

1991

« UNA SCRITTURA FEMMINILE AZZURRO PALLIDO » DI FRANZ WERFEL

Siamo a Vienna, nel 1936. Un alto funzionario ministeriale, sposato a una bella e ricca dama viennese, apre una mattina una lettera. Sulla busta riconosce una scrittura femminile azzurro pallido. Quella lettera si insinua immediatamente, come una lama, nella sua vita troppo levigata e la disarticola dall'interno. Apparentemente, in poche righe molto formali, la scrivente chiede l'aiuto del potente funzionario per trasferire in una scuola viennese un giovane tedesco di diciotto anni. Ma, per il destinatario, quelle righe cifrate significano il riaffiorare di un amore di molti anni prima, un amore cancellato con ogni cura. E il giovane ignoto non sarà forse un figlio ignorato? Quella storia, che ora giace nella memoria del brillante funzionario come «una tomba interrata che nessuno riesce più a localizzare», era stata forse il più grande, forse l'unico vero amore della sua vita. Ma al tempo stesso era qualcosa che il suo «cuore guasto» aveva dovuto eliminare. La feroce coazione ad adeguare la propria vita alle esigenze della società (e qui si tratta dell'alta società viennese, magistralmente accennata con piccoli tocchi), quasi un secondo parto operato da un ostetrico di se stesso, hanno distaccato quest'uomo – l'elegante, garbato, impeccabile León – da qualsiasi altro elemento della sua esistenza, dalle sue origini incerte e povere come anche da quella passione inaccettabile. Werfel è riuscito qui a creare una coincidenza fra indagine psicologica e analisi sociale che è quasi disturbante per la sua precisione. Di fatto, l'amante abbandonata è ebrea – e la volontà di cancellarla assume una coloratura livida data dal tempo e dalle circostanze. Questa storia dalla forma perfetta, pubblicata da Werfel in esilio a Buenos Aires, nel 1941, si legge oggi come un amaro gesto di congedo da Vienna e da tutta la civiltà mitteleuropea, quasi una naturale prosecuzione dei racconti dell'ultimo Schnitzler.

1991

«LO SMALTO SUL NULLA»
DI GOTTFRIED BENN

Gottfried Benn (l'«imperdonabile Benn», come lo chiamò Cristina Campo) fu poeta e sifilopatologo. Come poeta: uno dei creatori dell'espressionismo e autore di alcune fra le liriche perfette del Novecento. Come medico: continuò a praticare oscuramente, fino all'ultimo, nella Berlino del dopoguerra. Ma Benn fu anche l'autore di alcuni saggi (qui presentati in un'ampia scelta) letteralmente senza pari, per la mobilità nervosa, fosforeggiante dello stile, per il continuo germinare delle immagini, come anche per il taglio imprevedibile degli argomenti. Non si ha idea di che cosa possa essere la prosa moderna (ma che cosa è moderno? «Purtroppo io non ho la minima idea di che cosa sia moderno» scrisse una volta Benn, beffardamente) se non si è lasciata risuonare in noi questa prosa, con i suoi scarti micidiali e repentini, gli accostamenti allucinatori, l'uso sovrano e predatorio di testi preesistenti. Di che cosa parla Benn? Di ere geologiche e di Goethe (qui si leggerà la più bella rivendicazione di Goethe come scienziato), di nichilismo (come esperienza sottintesa di tutto l'Occidente) e di stile («Lo stile è superiore alla verità, porta in sé la prova dell'esistenza»), di teorie scientifiche e del mondo dorico, del cervello e delle tare, di poesia (naturalmente) e di climi storici. In breve: parla di tutto. E nulla lascia intatto di ciò che di accomodante e stantio si perpetua nel pensare. Ma ogni volta il tratto che noteremo per primo è il «sacrilego azzurro» della sua prosa, un colore, un timbro che solo qui riusciremo a trovare e che ci dà una scossa di segreta euforia.

1992

Sigismondo e Anna, fratello e sorella, giovanissimi, si ritrovano, in occasione della morte del padre, nel maniero di famiglia. Si scrutano, sentono riaffiorare la complicità infantile. Ma a lungo non osano dirsi che sono follemente innamorati uno dell'altra. Questa situazione ricalca perfettamente (e il richiamo è una sfida) quella della seconda parte dell'*Uomo senza qualità* di Musil, quando Ulrich e Agathe si ritrovano. Ma il parallelo va ben oltre: come Ulrich e Agathe, una volta abbandonati al loro amore, cercheranno le « isole felici », in Polinesia, così anche faranno Sigismondo e Anna. Con una decisiva variante: a loro tutto va bene. Eppure alla felicità si accompagna sempre un'angoscia sottile e invincibile, un senso di « voraginosa sospensione ».

Questo romanzo estremo e provocatorio fu pubblicato da Landolfi nel 1965 e passò inosservato, come un vero libro fantasma. Le scarse voci dei critici sembrarono deprecarlo, perfino come « dannunziano », in ossequio alla perenne vocazione italica per il « politicamente corretto », che obbligò per almeno trent'anni dopo la guerra a tacciare di dannunzianesimo tutto ciò che sapesse di *décadence*, quindi di letteratura. L'equivoco era totale. Il linguaggio alto, perennemente sopra le righe, di Sigismondo non è certo quello di Andrea Sperelli ma di un altro Sigismondo, quello di Calderón nella *Vita è sogno*, e allude a uno stato di reclusione metafisica, di prigionia in qualcosa che, pur non essendo la realtà, non accetta neppure una qualche realtà esterna: ora, questa è appunto la condizione originaria di Landolfi, quella piaga tormentosa da cui stilla tutta la sua letteratura, in fondo anch'essa una passione colpevole. In questo romanzo dunque il gioco di Landolfi è particolarmente audace, e diviso su due tavoli: come vita e come letteratura. Nella storia dei due fratelli egli sembra avere racchiuso la sua immagine segreta di una felicità acuminata, «sulla punta di noi» – e il riconoscimento amaro, vibrante, di un'impossibilità che rode dall'interno qualsiasi forma della felicità.

1993

«LOLITA»
DI VLADIMIR NABOKOV

Sarebbe difficile, per chi non ne è stato testimone, immaginare oggi la violenza dello scandalo internazionale, per oltraggiata *pruderie*, che *Lolita* provocò al suo apparire nel 1955. E tale è l'abitudine alla sciocca regola secondo cui ciò che fa chiasso è inevitabilmente sprovvisto di una durevole qualità letteraria, tanta era allora l'ignoranza dell'opera di Nabokov che solo pochi capirono quel che oggi è un'evidenza dinanzi agli occhi di tutti: *Lolita* è non solo un meraviglioso romanzo, ma uno dei grandi testi della passione che attraversano la nostra storia, dalla leggenda di Tristano e Isotta alla *Certosa di Parma,* dalle canzoni trobadoriche ad *Anna Karenina.*

Ma chi è Lolita? Questa «ninfetta» (geniale invenzione linguistica di Nabokov, poi degradata nell'uso triviale, quasi per vendetta contro la sua bellezza) è la più abbagliante apparizione moderna della Ninfa, uno di quegli esseri quasi immortali che furono i primi ad attirare il desiderio degli Olimpi verso la terra e a invadere la loro mente con la possessione erotica. Perché chiunque sia «catturato dalle Ninfe», secondo i Greci, è travolto da una sottile forma di delirio, lo stesso che coglie l'indimenticabile professor Humbert Humbert per la piccola, intensamente americana Lolita. America, Lolita: questi due nomi sono di fatto i protagonisti del romanzo, scrutati senza tregua dall'occhio inappagabile di Humbert Humbert e di Nabokov. Realtà geografica e personaggio sono arrivati a sovrapporsi con prodigiosa precisione, al punto che si può dire: l'America *è* Lolita, Lolita *è* l'America. E tutto questo, come solo avviene nei più grandi romanzi, non è mai dichiarato: lo scopriamo passo per passo, si potrebbe dire miglio per miglio, lungo un nastro senza fine di strade americane punteggiate di motel.

1993

«IL CARDILLO ADDOLORATO»
DI ANNA MARIA ORTESE

Tre giovani Signori – un principe, uno scultore, un ricco commerciante – scendono dal Nord dell'Europa verso Napoli. Siamo alla fine del Settecento. Pretesto del viaggio è la visita a un celebre guantaio, che vive a Santa Lucia con le figlie, entrambe «ugualmente alte, impettite, belle e insopportabilmente *mute*». Così si avvia questo romanzo, nel segno di un carattere che sarà di tutto il libro: la trasparenza e il mistero.

L'aria che si respira è lieve, esaltante, di sublimata opera buffa. Il fondo è pura tenebra metafisica. È come se Hoffmann, e con lui lo spirito più radicale e ammaliante del romantico tedesco, fossero discesi a Napoli per unirsi con il demone mediterraneo in una danza che ha qualcosa di fatale e genera senza tregua nuove figure. Ciascuna di queste figure è un filo di una trama vertiginosa, che fa tenere il respiro sospeso: una trama di passioni e di oscure, allusive sofferenze, di visioni e di magie, di eventi che cambiano volto e senso via via che si moltiplicano. Crediamo, all'inizio, di essere impigliati in un groviglio di storie umane, molto umane – in un romanzo «che tratta di Amori e Assassini», e perciò di «storie sotterranee, legate a città sotterranee, crudeli storie di fanciulle impassibili, di Folletti disperati, di Streghe sentimentali e di Principi Squilibrati, oltre che di altri fantasmi» –, eppure nulla di questa scena vorticosa e incantatoria avrebbe senso se non agisse in essa l'attrazione invincibile (o la ripulsa) verso qualcosa che sta di là dall'umano – ed è «il cuore della Natura» («un ben profondo cuore, signore; ma quanto lontano da noi!» sentiremo dire da un personaggio). Un cuore muto – come appare all'inizio la bellissima, misteriosa Elmina, la

Chimera che i tre giovani del Nord sono venuti a incontrare, sollevati nell'aria dall'«entusiastico Pegaso» sul loro carro apollineo –, un deserto dove solo a momenti trilla il suono del Cardillo, questo essere piccolo fra i piccoli, inerme e spietato, che «distrugge chi lo ama». Allora il cardellino che ci era apparso all'inizio quale vittima di sinistri giochi infantili diventa l'onnipresente Cardillo, che ci avvolge e ci sconvolge come l'immensità che non conosciamo. La sua voce è destinata a rimanere per sempre nella mente di chi ha la ventura di udirla. Così sarà di questo romanzo.

1993

«CUOCERE IL MONDO»
DI CHARLES MALAMOUD

Da tempo ormai la nostra civiltà si è abituata a indagare quello che viene definito come *pensiero mitico*, a precisarne le modalità e la forma. Ma altrettanto non si può dire sia avvenuto per quanto riguarda il *pensiero rituale*. Anzi, per alcuni «rito e pensiero sono di per sé termini antinomici». Secondo tale impostazione, infatti, pensare significherebbe innanzitutto «sbarazzarsi di ciò che è stereotipato, ripetitivo, determinato in precedenza, caratteri che appartengono per eccellenza al rito». Ora, si dà il caso che tutto questo venga radicalmente messo in dubbio dalla testimonianza di una grande civiltà: l'India.

Nell'India antica, quella dei Veda e dei Brāh-maṇa (i Trattati sui riti, quindi essenzialmente sui sacrifici), apparvero alcuni pensatori, i quali – in epoca anteriore ai primi sapienti greci – si interrogarono su *ciò che è* con stupefacente capacità speculativa. E la forma che scelsero fu appunto quella del *pensare attraverso il rito*: attraverso inesauribili commenti ai particolari anche minimi delle cerimonie. Chiamati usualmente «ritualisti», essi erano innanzitutto dei grandi metafisici – e il nome di Yājñavalkya o di Śāṇḍi-lya andrebbe avvicinato a quello di Eraclito o di Parmenide. Penetrare nelle vaste foreste delle loro meditazioni (si ricordi che per l'India antica la foresta è anche il luogo della dottrina segreta, quella esposta negli Āraṇyaka, «testi della foresta») è una delle avventure più esaltanti a cui possa rivolgersi oggi il pensiero. Charles Malamoud ha dedicato a questa impresa decenni di ricerche, proseguendo sulla traccia della grande tradizione indologica francese, da Sylvain Lévi a Louis Renou, a Paul Mus, tradizione di cui egli è attualmente il massimo rappresentante. Leggendo Malamoud, qualsiasi lettore è guidato a scoprire, dietro ogni dettaglio rituale, prospettive che danno una lieve vertigine. Ma subito è ripreso per mano dall'esegeta, il quale, con talmudica precisione e sottigliezza, gliene mostra altre – fino a che il lettore, quasi senza accorgersene, non si sarà già troppo inoltrato in un «mondo nuovo» della mente che non potrà più abbandonare.

1994

C'è «una donna fatale e un giorno fatale» per ogni uomo, dice Peter Hoag, personaggio secondario di questo mirabile romanzo e factotum che svolge servizi loschi di ogni sorta per padroni altrettanto loschi. E quel giorno e quella donna verranno anche per il protagonista di questa storia, Robert Grant, che merita di trovare un posto tra le figure romanzesche più affascinanti del secolo. Ma prima dovremo osservarlo espandersi e fiorire nell'azione, come una vorace pianta tropicale. Il suo alimento principale sono le donne e i soldi. La sua scienza suprema è la seduzione, praticata usando con equanimità gli espedienti più abietti e i più puerili. «Un tè e quattro chiacchiere» è uno di questi. L'efficacia è comunque somma. Robert Grant conosce le donne, ma le donne non conoscono lui – questo è il segreto di cui va fiero. Eppure, come tanti segreti, un giorno potrà anche essere svelato.

«Sono stata tirata su da un naturalista e *sono* un naturalista. Vedo quello che vedo, e se si vede quello che si vede lo si capisce. È tutto qui» disse una volta Christina Stead in un'intervista. Solo con *l'occhio che vede* del naturalista si poteva raccontare la storia di Robert Grant e della sua New York anni Quaranta, folta foresta abitata da legioni di esseri pericolosi per sé e per gli altri, uomini e donne che vagano fra bar, alberghi, lussi, miserie, imbrogli, stanze piene di fumo. In

203

mezzo a loro Robert Grant, sordido e grandioso, non solo è un predatore fra i più temibili, ma anche un uomo di strepitosa intelligenza, un giocatore, un commediante. E certe donne che incontra sulla sua strada non saranno da meno. Feroce ed esilarante, *Un tè e quattro chiacchiere* ci immerge in New York come solo qualche film di quegli anni aveva saputo fare. E immensa si rivela l'arte della Stead, la sua capacità di rendere il ritmo, il timbro del parlato, di raccontare i fatti – anche i minimi fatti – nella loro incensurata sequenza, costringendoci a entrare nella psiche dei personaggi mentre al tempo stesso li osserva come dietro il vetro di un acquario.

1994

« TODO MODO »
DI LEONARDO SCIASCIA

Fra le querce e i castagni di un luogo imprecisato e delizioso si apre, come un'oltraggiosa ferita, uno spiazzo asfaltato chiuso da un edificio di cemento, «orridamente bucato da finestre strette e oblunghe». Un albergo? Un eremo? Testimone casuale – ma che sempre meno crede nel caso –, un pittore di fama si troverà a osservare, per pochi, terribili giorni, ciò che avviene in quel luogo. «Esercizi spirituali», gli viene detto. Quegli esercizi che Ignazio di Loyola prescriveva di praticare *todo modo*, «al fine di cercare e trovare la volontà divina». Qui, attirati dal richiamo e dall'imperio di don Gaetano, uomo di cui nessuno sa scorgere il fondo e che Sciascia delinea magistralmente, convergono personaggi in diverso grado potenti, i quali presto si dispongono a recitare il rosario in compatto quadrato, producendo lo schianto di un coro «atterrito e isterico». Ciò che perseguono non è la volontà divina, ma il delitto, un'altra via dove «non ci si può fermare». Se dovessimo indicare una forma romanzesca capace di rivelare come si compone e come si manifesta quell'impasto vischioso del potere che la politica italiana ha avuto per lunghi anni il funesto privilegio di produrre, basterebbe rimandare alle asciutte pagine di *Todo modo*, alla scansione crudele dei suoi episodi, che solcano come una traccia fosforescente una materia informe, torbida e sinistra, quale nessun altro romanziere italiano aveva saputo affrontare. Non meraviglia dunque che questo libro, pubblicato nel 1974, possa essere letto come una guida alla storia italiana dei venti anni successivi.

1995

«VITA DI MONSIEUR DESCARTES» DI ADRIEN BAILLET

Pallido, afflitto da una tosse secca, il piccolo Descartes interrogava il padre con «insaziabile curiosità» sulle «cause e gli effetti di tutto ciò che gli capitava di osservare». Presto, in un collegio di Gesuiti, scoprì la sua passione dominante, anzi esclusiva: acquisire «una conoscenza chiara e certa di tutto quanto è utile alla vita». È difficile figurarsi oggi che cosa di sconvolgente e innovatore implicassero quelle scabre parole all'alba del secolo diciassettesimo. Eppure erano sommamente eversive. Dinanzi a un sapere che si presentava innanzitutto come accumulo e congerie di opinioni, il collegiale Descartes osava proclamare che il verosimile può essere il primo nemico del vero. E andava alla ricerca di una *certezza* che non somigliava a nessuna di quelle che lo avevano preceduto. Ma con lui non si manifestava solo un genere, fino allora intentato, di pensiero. Descartes fu un soggetto, una psiche, l'esemplare di una varietà antropologica che si faceva avanti e si mescolava, con una voluttà ignota agli antichi, alla folla anonima di una città di commerci: Amsterdam. Così apparve il *moderno*, senza farsi riconoscere (*larvatus prodeo*, «avanzo in maschera», fu motto di Descartes), ma con micidiale efficacia. Nel 1691, a non molti anni dalla morte di Descartes, Adrien Baillet, un erudito che viveva letteralmente sepolto fra i libri, ne tracciò la vita con la sobrietà e il candore di un cronista ammirato – e il suo resoconto ci appare oggi come uno di quei grandi libri involontari dove una luce misteriosa ci fa cenno dietro le spalle dell'autore.

1996

«Se Maria Antonietta ci tocca così profondamente e signoreggia le anime con un potere di commozione tanto sovrano, è solo *perché non è una santa*» scrive Bloy sulla soglia di questa sua «prima prova letteraria» che ne prefigura l'intera opera, «e perciò i suoi formidabili tormenti di regina, di sposa e di madre non possono propriamente essere chiamati un martirio». Ma che cosa furono, allora? Spogliata di ogni veste sulla linea di confine con la Francia, allorché vi giunge quattordicenne come fidanzata del re, e subito gravata dell'invisibile fardello dell'Etichetta, osteggiata e dileggiata a ogni passo, nella sua amabile sventatezza, come «l'Austriaca», la regina sembra addensare su di sé la vendetta della Storia che, nel momento in cui pretende di emanciparsi dalla teologia del sacrificio, esige una nuova vittima sacrificale e sceglie, in quanto necessaria all'espiazione, la più scandalosamente ingiusta. Tutto il secolo diciottesimo, «epoca meravigliosamente superficiale in cui sembra che tutti nascessero con il dono di non capire nulla delle cose superiori», si coalizza contro di lei sino a ridurla a vedova Capeto, disegnata con astio da David sulla carretta che va al patibolo, poco prima che diventasse «la regina ghigliottinata giuridicamente dalla Canaglia». Alle ombre della Storia risponde la veemente eloquenza di Bloy, proiettandole su una scena ulteriore, metastorica, dove l'apparizione di Maria Antonietta «in veste di criminale» davanti al «bruto» Fouquier-Tinville si impone come «dimostrazione di una qualche legge misteriosa».

1996

«TESTI PRIGIONIERI» DI JORGE LUIS BORGES

Trovare un critico capace di dire l'essenziale di un libro in venti righe facendosi capire da tutti è un antico sogno di molti caporedattori. Ebbene, almeno una volta quel sogno si è avverato: negli anni Trenta, in Argentina, sulle colonne di una rivista femminile dall'ominoso nome di «El Hogar» («Il focolare»). Il giovane critico che vi si addestrò in recensioni, saggi, «biografie sintetiche» e fulminee notizie culturali aveva scritto due libri dal titolo singolare, *Storia universale dell'infamia* e *Storia dell'eternità*, e si chiamava Jorge Luis Borges. Forse nessuna delle dame bonaerensi affezionate a «El Hogar» si rese conto che stava leggendo la prosa di colui che sarebbe divenuto un giorno il simbolo della letteratura stessa – o anche della più vertiginosa erudizione. E che ciò che le passava sotto gli occhi ogni settimana era una cronaca della letteratura di quegli anni stenografata momento per momento (ed erano anni in cui le novità sui banchi dei librai potevano portare i nomi di Kipling, Chesterton, T.S. Eliot, Kafka, Huxley, Döblin, Maugham, Hemingway, Simenon, Valéry, Faulkner, Steinbeck, Wells, Greene, oltre che

dei numerosi emuli di Ellery Queen fra i quali
il giovane Borges equamente si divideva). Ma
non v'è dubbio che alcune di quelle dame do-
vettero apprezzare l'esemplare chiarezza e con-
cisione dell'oscuro critico, e constatare – se per
caso aprirono un paio dei libri recensiti – la portentosa precisione dei suoi giudizi. E non man-
cò forse chi seppe cogliere uno sprazzo della
deliziosa ironia che circola in queste pagine di
irreprensibile serietà.

1998

« GLI EDITTI DI AŚOKA »

Otto anni dopo essere stato consacrato sovrano
di un regno che abbracciava quasi tutta l'India,
Aśoka condusse una guerra di conquista nel
Kaliṅga, sul Golfo del Bengala. Vinse. Ma, dopo aver vinto, sentì rimorso. E volle esprimere
quel rimorso in parole incise sulla roccia, perché reggessero al tempo e tutti le conoscessero:
«... furono deportate centocinquantamila persone; centomila furono uccise; molte centinaia
di migliaia perirono ... Tale è la penitenza del re
caro agli Dei per aver sottomesso i Kaliṅga: perché la conquista di un paese indipendente è
strage, morte, cattività di uomini; e ciò è fonte
di pena e deplorazione per il re caro agli Dei».
Nel lungo corteo dei potenti, occidentali e o-
rientali, che scandiscono la storia, nessuno è
stato capace di parole simili. E nessuno ha dichiarato pubblicamente una così piena tolleran-

za per ogni forma di pensiero e di fede. Perciò, come scrisse H.G. Wells di Aśoka, «dal Volga al Giappone il suo nome è onorato ancora oggi. La Cina, il Tibet e anche l'India, che pure ha abbandonato la sua dottrina, conservano la tradizione della sua grandezza. Sono più numerosi gli uomini che oggi hanno cara la sua memoria di quelli che mai hanno sentito parlare di Costantino e Carlo Magno».

2003

INDICAZIONI BIBLIOGRAFICHE

ABBOTT, EDWIN A.
Flatlandia
Racconto fantastico a più dimensioni
Prefazione e traduzione di Masolino d'Amico, con un saggio di Giorgio Manganelli in appendice
«Biblioteca Adelphi», 1966

ACKERLEY, J.R.
Mio padre e io
Traduzione di Aldo Busi e Giulia Arborio Mella
«Biblioteca Adelphi», 1981

ALTENBERG, PETER
Favole della vita
Una scelta dagli scritti
A cura, e con un'introduzione, di Giuseppe Farese
«Biblioteca Adelphi», 1981

ANGER, KENNETH
Hollywood Babilonia
Traduzione di Ida Omboni, 271 tavv.
«Fuori collana», 1979

ANONIMO RUSSO
La via di un pellegrino
Racconti sinceri di un pellegrino al suo padre spirituale
Traduzione di Alberto Pescetto, con un saggio di Pierre Pascal
«Biblioteca Adelphi», 1972

ARTAUD, ANTONIN
Eliogabalo
o l'anarchico incoronato
Prefazione, traduzione e note a cura di Albino Galvano
«Biblioteca Adelphi», 1969

AŚVAGHOṢA
Nanda il Bello (Saundarananda-Mahākāvya)
A cura, e con una nota, di Alessandro Passi
«Biblioteca Adelphi», 1985

AUBREY, JOHN
Vite brevi di uomini eminenti
A cura di Oliver Lawson Dick, traduzione e nota introduttiva di J. Rodolfo Wilcock
«Biblioteca Adelphi», 1977

BAILLET, ADRIEN
Vita di Monsieur Descartes
A cura di Lelia Pezzillo, con un saggio di Paul Valéry
«Biblioteca Adelphi», 1996

BATESON, GREGORY
Verso un'ecologia della mente
Traduzione di Giuseppe Longo (pp. 7-196, 218-604) e di Giuseppe Trautteur (pp. 199-217)
«Biblioteca Scientifica», 1977

BAZLEN, ROBERTO
Scritti
Il capitano di lungo corso - Note senza testo - Lettere editoriali - Lettere a Montale
A cura, e con un saggio, di Roberto Calasso
«Biblioteca Adelphi», 1984

BENN, GOTTFRIED
Lo smalto sul nulla
A cura di Luciano Zagari, i testi *Espressionismo, Deve la poesia migliorare la vita?* e *Marginalia* sono stati tradotti da Giancarlo Russo; *Discorso per Stefan George* e *Discorso per Else Lasker-Schüler* sono stati tradotti da Gilberto Forti
«Biblioteca Adelphi», 1992

BERNHARD, THOMAS
Il respiro
Traduzione di Anna Ruchat
«Fabula», 1989

BLIXEN, KAREN
I vendicatori angelici
Traduzione di Bianca Candian
«Biblioteca Adelphi», 1985

BLOY, LÉON
La Cavaliera della Morte
A cura, e con un saggio, di Nicola Muschitiello
«Piccola Biblioteca Adelphi», 1996

BORGES, JORGE LUIS
Testi prigionieri
A cura, e con un saggio, di Tommaso Scarano, traduzione
di Maia Daverio
«Biblioteca Adelphi», 1998

BORTOLOTTO, MARIO
Consacrazione della casa
«Saggi», 1982

BOSWELL, JAMES
Visita a Rousseau e a Voltaire
A cura, e con una prefazione, di Bruno Fonzi
«Piccola Biblioteca Adelphi», 1973

BUTLER, SAMUEL
Erewhon - Ritorno in Erewhon
Versione e introduzione di Lucia Drudi Demby, appendici
di notizie sull'autore e sulle opere di Piero Bertolucci, 1 tav.
«Classici», 1965

CANETTI, ELIAS
Auto da fé
Traduzione di Luciano e Bianca Zagari
«Biblioteca Adelphi», 1981

CAUSSADE, JEAN-PIERRE DE
L'abbandono alla Provvidenza divina
Traduzione di Melisenda Calasso
«Piccola Biblioteca Adelphi», 1989

215

CERONETTI, GUIDO
La vita apparente
«Saggi», 1982

CHATWIN, BRUCE
In Patagonia
Traduzione di Marina Marchesi, 15 tavv.
«Biblioteca Adelphi», 1982

CIORAN, E.M.
La tentazione di esistere
Traduzione di Lauro Colasanti e Carlo Laurenti
«Biblioteca Adelphi», 1984

COLETTE
Il puro e l'impuro
Traduzione di Adriana Motti
«Biblioteca Adelphi», 1980

CORBIN, HENRY
Storia della filosofia islamica
Dalle origini ai nostri giorni
Con la collaborazione di Seyyed Hossein Nasr e Osman Ya-
hyâ, traduzione di Vanna Calasso e Roberto Donatoni
«Il ramo d'oro», 1973

DAHLBERG, EDWARD
Poiché ero carne
Traduzione di J. Rodolfo Wilcock
«Biblioteca Adelphi», 1988

DE QUINCEY, THOMAS
Gli ultimi giorni di Immanuel Kant
A cura, e con un saggio, di Fleur Jaeggy
«Piccola Biblioteca Adelphi», 1983

DOUGLAS, NORMAN
Biglietti da visita
Un viaggio autobiografico
Traduzione di J. Rodolfo Wilcock
«Biblioteca Adelphi», 1983

Gli editti di Aśoka
A cura di Giovanni Pugliese Carratelli
«Biblioteca Adelphi», 2003

FALK, MARYLA
Il mito psicologico nell'India antica
«Il ramo d'oro», 1986

GIRARD, RENÉ
La violenza e il sacro
Traduzione di Ottavio Fatica e Eva Czerkl
«Saggi», 1980

GRANET, MARCEL
Il pensiero cinese
Traduzione di Giorgio R. Cardona, 65 ill. e 8 tavv. di concordanza
«Il ramo d'oro», 1971

GRODDECK, GEORG
Lo scrutatore d'anime
Un romanzo psicoanalitico
Traduzione di Amina Pandolfi
«Biblioteca Adelphi», 1976

GUÉNON, RENÉ
Il Re del Mondo
Traduzione di Bianca Candian
«Piccola Biblioteca Adelphi», 1977

HESSE, HERMANN
Il pellegrinaggio in Oriente
Traduzione di Ervino Pocar
«Piccola Biblioteca Adelphi», 1973

HILLMAN, JAMES
Il mito dell'analisi
Traduzione di Aldo Giuliani
«Saggi», 1979

HOFMANNSTHAL, HUGO VON
Il libro degli amici
A cura, e con una nota, di Gabriella Bemporad, 1 tav.
«Biblioteca Adelphi», 1980

HOFSTADTER, DOUGLAS R.
Gödel, Escher, Bach: un'Eterna Ghirlanda Brillante
Una fuga metaforica su menti e macchine nello spirito di
Lewis Carroll
A cura di Giuseppe Trautteur, traduzioni di Barbara Veit,
Giuseppe Longo, Giuseppe Trautteur, Settimo Termini e
Bruno Garofalo, supervisione redazionale di Fiamma Bianchi Bandinelli, 154 ill.
«Biblioteca Scientifica», 1984

HORVÁTH, ÖDÖN VON
Teatro popolare
Notte all'italiana - Storie del bosco viennese - Kasimir Karoline - Fede Speranza Carità
Traduzione di Umberto Gandini e Emilio Castellani, introduzione di Emilio Castellani, note e notizie biografiche
di Umberto Gandini
«Biblioteca Adelphi», 1974

HUDSON, W.H.
La Terra Rossa
Traduzione di Adriana Motti
«Biblioteca Adelphi», 1973

IGNAZIO DI LOYOLA (SANT')
Il racconto del Pellegrino
Autobiografia di sant'Ignazio di Loyola
A cura di Roberto Calasso
«Biblioteca Adelphi», 1966

JAYNES, JULIAN
Il crollo della mente bicamerale e l'origine della coscienza
Traduzione di Libero Sosio
«Saggi», 1984

KENKŌ
Momenti d'ozio
A cura di Donald Keene, traduzione di Adriana Motti
«Biblioteca Adelphi», 1975

KIMBALL, NELL
Memorie di una maîtresse americana
A cura, e con un'introduzione, di Stephen Longstreet, traduzione di Bruno Fonzi
«La collana dei casi», 1975

KIŠ, DANILO
Giardino, cenere
Traduzione di Lionello Costantini
«Fabula», 1986

KRAUS, KARL
Gli ultimi giorni dell'umanità
Tragedia in cinque atti con preludio ed epilogo
Edizione italiana a cura di Ernesto Braun e Mario Carpitella, con un saggio di Roberto Calasso, 2 tavv.
«Biblioteca Adelphi», 1980

KUNDERA, MILAN
L'insostenibile leggerezza dell'essere
Traduzione di Giuseppe Dierna [Antonio Barbato]
«Fabula», 1985

LANDOLFI, TOMMASO
Un amore del nostro tempo
A cura, e con una nota, di Idolina Landolfi
«Biblioteca Adelphi», 1993

LANGER, JIŘÍ
Le nove porte
I segreti del chassidismo
Traduzione di Ela Ripellino, prefazione di František Langer
«Biblioteca Adelphi», 1967

LERNET-HOLENIA, ALEXANDER
Il conte di Saint-Germain
Traduzione di Elisabetta Dell'Anna Ciancia
«Biblioteca Adelphi», 1984

Il Libro di Giobbe
Versione, note e un saggio di Guido Ceronetti
«Biblioteca Adelphi», 1972

LOOS, ADOLF
Parole nel vuoto
Traduzione di Sonia Gessner, prefazione di Joseph Rykwert, 23 tavv.
«Biblioteca Adelphi», 1972

MALAMOUD, CHARLES
Cuocere il mondo
Rito e pensiero dell'India antica
A cura di Antonella Comba, 1 tav.
«Il ramo d'oro», 1994

MANGANELLI, GIORGIO
La letteratura come menzogna
«Saggi», 1985

MANSFIELD, KATHERINE
Tutti i racconti
Parte I: Felicità - Garden-party
Traduzioni di Floriana Bossi, Cristina Campo, Giacomo Debenedetti e Marcella Hannau, prefazione di Lucia Drudi Demby
«Piccola Biblioteca Adelphi», 1978

MARLOWE, CHRISTOPHER
Teatro completo
La tragedia di Didone, regina di Cartagine - La prima parte di Tamerlano il Grande - La seconda parte di Tamerlano il Grande - L'Ebreo di Malta - La strage di Parigi - Edoardo II - La tragica storia del dottor Fausto
Versione poetica, prefazione, note e appendici bio-bibliografiche a cura di J. Rodolfo Wilcock, 1 tav.
«Classici», 1966

MIŁOSZ, CZESŁAW
La mente prigioniera
Traduzione di Giorgio Origlia, con una nota di Karl Jaspers
«Biblioteca Adelphi», 1981

MORSELLI, GUIDO
Dissipatio H.G.
Romanzo
«Narrativa contemporanea», 1977

NABOKOV, VLADIMIR
Lolita
Traduzione di Giulia Arborio Mella
«Biblioteca Adelphi», 1993

NIETZSCHE, FRIEDRICH
Sull'utilità e il danno della storia per la vita
Traduzione di Sossio Giametta, nota introduttiva di Giorgio Colli
«Piccola Biblioteca Adelphi», 1974

ORTESE, ANNA MARIA
Il cardillo addolorato
«Fabula», 1993

PIRSIG, ROBERT M.
Lo Zen e l'arte della manutenzione della motocicletta
Traduzione di Delfina Vezzoli
«Narrativa contemporanea», 1981

PLUTARCO
Dialoghi delfici
Il tramonto degli oracoli - L'E di Delfi - Gli oracoli della Pizia
Introduzione di Dario Del Corno, traduzioni e note di
Marina Cavalli e Giuseppe Lozza
«Piccola Biblioteca Adelphi», 1983

PRAZ, MARIO
La casa della vita
«Fuori collana», 1979

221

PRIŠVIN, MICHAIL
Ginseng
Traduzione di Gigliola Venturi
«Biblioteca Adelphi», 1979

RENARD, JULES
Lo scroccone
Traduzione di Anna Devoto, con un saggio di Alfredo Giuliani e una recensione di Marcel Schwob tradotta da Fleur Jaeggy
«Biblioteca Adelphi», 1974

ROTH, JOSEPH
La milleduesima notte
Traduzione di Ugo Gimmelli
«Biblioteca Adelphi», 1977

ROZANOV, VASILIJ
Da motivi orientali
A cura di Alberto Pescetto, introduzione di Jacques Michaut tradotta da F. Bovoli
«Biblioteca Adelphi», 1988

SACKS, OLIVER
L'uomo che scambiò sua moglie per un cappello
Traduzione di Clara Morena
«Biblioteca Adelphi», 1986

SAIKAKU, IHARA
Cinque donne amorose
Con le 24 illustrazioni di Yoshida Hanbei dell'edizione originale del 1686, a cura di Gian Carlo Calza, traduzione di Lydia Origlia
«Biblioteca Adelphi», 1980

SANTILLANA, GIORGIO DE - DECHEND, HERTHA VON
Il mulino di Amleto
Saggio sul mito e sulla struttura del tempo
Edizione italiana a cura di Alessandro Passi, 41 ill.
«Il ramo d'oro», 1983

SATTA, SALVATORE
Il giorno del giudizio
«Biblioteca Adelphi», 1979

SAVINIO, ALBERTO
Palchetti romani
A cura, e con una nota, di Alessandro Tinterri, 16 tavv.
«Biblioteca Adelphi», 1982

SCHMITT, CARL
Il nomos della terra nel diritto internazionale dello «jus publicum europaeum»
A cura di Franco Volpi, traduzione e postfazione di Emanuele Castrucci
«Biblioteca Filosofica», 1991

SCHNITZLER, ARTHUR
Il ritorno di Casanova
A cura, e con una nota, di Giuseppe Farese
«Biblioteca Adelphi», 1975

SCHREBER, DANIEL PAUL
Memorie di un malato di nervi
A cura, e con un saggio, di Roberto Calasso, traduzione di Federico Scardanelli e Sabina de Waal, 1 tav.
«La collana dei casi», 1974

SCHWOB, MARCEL
Vite immaginarie
A cura, e con un saggio, di Fleur Jaeggy
«Biblioteca Adelphi», 1972

SCIASCIA, LEONARDO
Todo modo
«Fabula», 1995

SHIEL, MATTHEW P.
La nube purpurea
Versione e prefazione di J. Rodolfo Wilcock
«Biblioteca Adelphi», 1967

SIMENON, GEORGES
Lettera al mio giudice
Traduzione di Dario Mazzone
«Biblioteca Adelphi», 1990

SOLMI, SERGIO
Meditazioni sullo Scorpione
e altre prose
«Biblioteca Adelphi», 1972

SOUVARINE, BORIS
Stalin
Traduzione di Gisèle Bartoli
«La collana dei casi», 1983

STEAD, CHRISTINA
Un tè e quattro chiacchiere
Traduzione di Carlo Brera
«Fabula», 1994

STIRNER, MAX
L'unico e la sua proprietà
Traduzione di Leonardo Amoroso, con un saggio di Roberto Calasso
«Biblioteca Adelphi», 1979

STRINDBERG, AUGUST
Inferno - Leggende - Giacobbe lotta
A cura, e con un saggio, di Luciano Codignola, 1 tav.
«Biblioteca Adelphi», 1972

TAINE, HIPPOLYTE
Le origini della Francia contemporanea
L'antico regime
A cura, e con un saggio, di Piero Bertolucci, introduzione di Giovanni Macchia
«Classici», 1986

ULFELDT, LEONORA CHRISTINA
Memorie dalla Torre Blu
A cura di Angela Zucconi, 2 tavv.
«Biblioteca Adelphi», 1971

VALÉRY, PAUL
Quaderni, I
I quaderni - Ego - Ego scriptor - Gladiator
A cura, e con una prefazione, di Judith Robinson-Valéry,
traduzione di Ruggero Guarini
«Biblioteca Adelphi», 1985

VALLOTTON, FÉLIX
La vita assassina
Traduzione di Anna Zanetello, con 7 disegni dell'autore
«Biblioteca Adelphi», 1987

Vita dell'arciprete Avvakum
scritta da lui stesso
A cura, e con un'introduzione, di Pia Pera, 2 tavv.
«Biblioteca Adelphi», 1986

WALSER, ROBERT
I fratelli Tanner
Traduzione di Vittoria Rovelli Ruberl, 1 tav.
«Biblioteca Adelphi», 1977

WEDEKIND, FRANK
Lulu
Lo spirito della terra - Il vaso di Pandora
Traduzione di Emilio Castellani, con un saggio di Karl Kraus
«Biblioteca Adelphi», 1972

WEIL, SIMONE
Quaderni, I
A cura, e con un saggio, di Giancarlo Gaeta
«Biblioteca Adelphi», 1982

WERFEL, FRANZ
Una scrittura femminile azzurro pallido
Traduzione di Renata Colorni
«Fabula», 1991

WILSON, ANGUS
Per chi suona la cloche
Un album degli Anni Venti
Traduzione di Adriana Motti, con 78 disegni di Philippe
Jullian
«Piccola Biblioteca Adelphi», 1974

225

WIND, EDGAR
Arte e anarchia
Traduzione di J. Rodolfo Wilcock, 16 tavv.
«Saggi», 1968

YEATS, W.B.
Una visione
Traduzione di Adriana Motti, con un saggio di A.G. Stock
tradotto da Piero Bertolucci
«Biblioteca Adelphi», 1973

ZELLINI, PAOLO
La ribellione del numero
«Saggi», 1985

Zhuang-zi [Chuang-tzu]
A cura, e con una nota, di Liou Kia-hway, traduzione di
Carlo Laurenti e Christine Leverd
«Biblioteca Adelphi», 1982

INDICE DEI NOMI

230

231

233

PICCOLA BIBLIOTECA ADELPHI

Stampato nel settembre 2003
dalla Techno Media Reference s.r.l. - Cusano (MI)

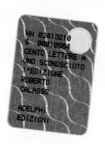

Piccola Biblioteca Adelphi
Periodico mensile: N. 500/2003
Registr. Trib. di Milano N. 180 per l'anno 1973
Direttore responsabile: Roberto Calasso